Cymru

a

Phrydain

yn y Byd
Modern Cynnar

tua 1500 – tua 1760

Roger Turvey

Hodder & Stoughton

A MEMBER OF THE HODDER HEADLINE GROUP

Cydnabyddiaethau

National Portrait Gallery 4a, 10c, 14c, 15, 16a, 18a, 19f, 21d, 25f, 42c, 46a, 57d, 67d, 79f; Amgueddfa Genedlaethol Cymru 6b, 20c, 64d; Mansell Collection 7c, 22e, 31j, 40b, 49e, 53a, 70b; Y Casgliad Brenhinol ⓑ Ei Mawrhydi y Frenhines 12b, 47b, 48d; atgynhyrchwyd gyda chaniatâd Viscount De L'Isle, o'i gasgliad preifat 12d; casgliad preifat/Bridgeman Art Library, Llundain 13e; casgliad preifat/Castell Sherborne 13h; Cadw: Henebion Hanesyddol Cymru. Hawlfraint y Goron 17h; Cadw: Henebion Hanesyddol Cymru. Hawlfraint y Goron/Alan Sorrell 17l, 28c; Syr George Godber, *Medieval Wall Paintings*, 18b; atgynhyrchwyd gyda chaniatâd y Post Brenhinol 22a; Y Llyfrgell Brydeinig (C23a8), (C33a19), (E378[6]) ac (E89[3]), (E541[21]), (E684[1]) - 23f, 51d, 51e, 55c, 56b; Llyfrgell Genedlaethol Cymru 23g, 38b, 39d, 45f, 59, 62b, 64a, 72b, 74c, 75f; Beaver Photography 26a; Hawlfraint y Goron. Comisiwn Brenhinol Henebion yng Nghymru 26c, 64c; College of Arms, Llundain (MS. M6, f.41v) 27d; casgliad preifat/Dug Northumberland 27e; Staatliche Gemalde-Galerie, Berlin/Bridgeman Art Library 28b; Yr Ymddiriedolaeth Genedlaethol 29f; The Fotomas Index 30a, 71g (chwannen); New York Metropolitan Museum of Art 32b; Trustees of the National Library of Scotland 34a; National Maritime Museum 35a, 36c, 37f, 37j; Ron Avent/Gwasg Carreg Gwalch 39e; Culver Pictures, Efrog Newydd 40c; Mary Evans Picture Library 41d; Robin Price/Geraint Wyn Jones 44b; Hulton Deutsch Collection 49f, 58a, 76b; casgliad preifat/Arglwydd Tollemarche 54a; gyda chaniatâd Iarll Rosebery ar fenthyg i'r Scottish National Portrait Gallery 55b; Weidenfeld and Nicolson Limited 56a; Neuadd y Ddinas, Caerdydd 60b; atgynhyrchwyd gyda chaniatâd caredig Prifathro, Cymrodyr ac Ysgolheigion Coleg Iesu, Rhydychen 61c; Yr Amgueddfa Brydeinig 61f, 75g; Wilton House Trust 62a; St. Bride Printing Library 63g; Christ's Hospital, Horsham, Gorllewin Sussex 66b; Museum of London 66c; University of Reading, Rural History Centre 68a; Auchincloss Collection, Beinecke Rare Books and Manuscript Library, Connecticut 69g; Bibliothèque Nationale 70a; Royal College of Physicians/Bridgeman Art Library 70d; Istituto e Museo di Storia della Scienza, Firenze 71f; Michael Holford 71g (microsgop); Amgueddfa Werin Cymru 72a, 72c, 78b; E. T. Archive 29d, 77c; Westair Reproductions Limited/Marian Delyth 78c; atgynhyrchwyd gyda chaniatâd Ardalydd Caerfaddon, Longleat House, Warminster, Wiltshire 79d; Yale Center for British Art 79e.

Ni fu'n bosibl olrhain perchennog pob llun yn y llyfr hwn. Gwahoddir y perchenogion hynny i gysylltu â'r Ganolfan Astudiaethau Addysg.

Paratowyd y fersiwn Cymraeg gan y Ganolfan Astudiaethau Addysg, Prifysgol Cymru, Aberystwyth.

Manylion Catalogio cyhoeddi (CIP) y Llyfrgell Brydeinig

Y mae cofnod catalog ar gyfer y cyhoeddiad hwn ar gael o'r Llyfrgell Brydeinig

ISBN 0-340-64349-8

Cyhoeddwyd gyntaf 1995

10 9 8 7 6 5 4 3 2 1
1999 1998 1997 1996 1995

Cyhoeddir y gyfrol hon gyda chefnogaeth ariannol Awdurdod Cwricwlwm ac Asesu Cymru.

Cysodwyd gan Y Ganolfan Astudiaethau Addysg, Prifysgol Cymru, Aberystwyth
Argraffwyd ym Mhrydain i Hodder & Stoughton Educational, adran o Hodder Headline Plc, 338 Euston Road, London NW1 3BH gan Cambridge University Press, Cambridge

Cynnwys

$\mathcal{C}$ymro yn Frenin Lloegr

Yn 1483 daeth Rhisiart III yn frenin Lloegr wedi i'r gwir frenin, Edward V, ddiflannu. Roedd gan Rhisiart lawer o elynion a daeth yn amhoblogaidd iawn oherwydd ei greulondeb. Roedd llawer o bobl yn meddwl ei fod wedi llofruddio Edward, ei nai ifanc.

Roedd Rhisiart yn aelod o deulu'r Iorciaid a oedd wedi cymryd y Goron oddi ar eu gelynion, sef y Lancastriaid. Penderfynodd y Lancastriaid mai dyma oedd yr adeg orau i geisio cael yr orsedd yn ôl. Ond roedd 'na broblem. Wedi 30 mlynedd o ryfel doedd ganddyn nhw neb ar ôl yn fyw oedd â hawl uniongyrchol i'r orsedd. Felly dyma nhw'n edrych am ymgeisydd addas a dod o hyd i Harri **Tudur.**

Roedd Harri Tudur yn ymddangos yn ddewis annhebygol fel brenin. Ganed ef yng Nghymru, yn fab i weddw 14 oed, ac mae'n debyg nad oedd erioed wedi bod yn Lloegr. Roedd yn ifanc, yn dlawd, yn ddi-brofiad ac ychydig iawn o bobl oedd wedi clywed amdano. Roedd wedi bod yn **alltud** yn Ffrainc am 14 mlynedd i ddianc rhag yr Iorciaid. Er gwaethaf hyn, arweiniodd yr ymosodiad llwyddiannus olaf ar Gymru a Lloegr ym mis Awst 1485.

Glaniodd Harri yn sir a gwlad ei eni, sef sir Benfro yng Nghymru. Roedd ei longau'n ddiogel ym mhorthladd Aberdaugleddau - yn ddigon pell oddi wrth byddin Rhisiart yn Lloegr. Roedd ei ewythr Siasbar wedi bod yn Iarll Penfro felly roedd ganddo lawer o ffrindiau yno.

Sylweddolodd Harri fod ei fyddin o 2,000 o **hurfilwyr** tramor yn rhy fach i drechu Rhisiart ond gobeithiai ychwanegu at ei nifer trwy recriwtio yng Nghymru. Credai y gallai, fel Cymro, apelio at bobl Cymru am gymorth. Roedd mwy o bobl yn gwybod am Harri yng Nghymru nag yn Lloegr. Teithiai beirdd, a oedd yn grŵp pwysig o bobl, o gwmpas y wlad yn canu ei glodydd. Roedd beirdd yn cael eu parchu ac roedd eu cerddi a'u caneuon yn boblogaidd. Fe fydden nhw'n canu am y Mab Darogan, Cymro a fyddai'n eistedd ar orsedd Lloegr rhyw ddydd. Byddai Harri'n gwireddu'r **broffwydoliaeth** hon.

Ond gwyddai Harri y byddai raid iddo gael cefnogaeth y gwŷr **bonedd** cyn y gallai lwyddo. Meistri tir cyfoethog a phwerus

A Portread o Harri Tudur 20 mlynedd ar ôl Bosworth (1505)

B Ymdaith Harri Tudur trwy Gymru

Byddai pobl Prydain [Cymru] yn meddiannu'r ynys eto ar ryw adeg yn y dyfodol, unwaith y byddai'r amser penodedig wedi dod.

C Ysgrifennwyd y broffwydoliaeth hon yn 1135 gan Sieffre o Fynwy yn ei lyfr enwog *Hanes Brenhinoedd Prydain*

Myn Gymru ar du (dy ochr), a dôn[t] attad (atat),
A myn Loegr danad (odanat), myn lygru [e]i dynion.

D Rhan o gerdd i Harri Tudur

oeddent a nhw oedd yn rheoli yn y wlad. Gallent roi dynion ac arian i helpu'i achos. Ond roedd ganddynt hefyd y gallu i'w rwystro. Ond bu Harri'n lwcus. Ymunodd Rhys **ap** Tomos o Ddinefwr ag ef yn y Trallwng ac ef oedd tirfeddiannwr pwysicaf Cymru. Ei obaith oedd y byddai Harri yn ei wobrwyo pe byddai ef yn helpu Harri.

Ymunodd bron 3,000 o Gymry â byddin y Lancastriaid yn ystod yr wythnos o ymdeithio yng Nghymru. Roedd taid Harri, Owain Tudur, yn dod yn wreiddiol o Ynys Môn, ac oherwydd hyn roedd llawer o'i gefnogwyr yn dod o ogledd Cymru. Ond roedd y nifer mwyaf yn dod o Gaerfyrddin yn ne Cymru dan arweiniad Rhys ap Tomos. Gyda chefnogaeth ei gydwladwyr, roedd maint byddin Harri wedi dyblu.

Ar 22 Awst 1485 bu brwydr rhwng yr Iorciaid dan Rhisiart III a'r Lancastriaid dan Harri Tudur ar faes Bosworth. Roedd llai na hanner nifer byddin yr Iorciaid ym myddin Harri, ond ymladdodd ei filwyr Cymreig yn ddewr nes i deulu o Loegr, teulu Stanley, eu helpu. Roedd cefnogaeth teulu'r Stanley yn ddigon i droi'r fantol o blaid Harri.

Ymladdodd Rhisiart yn ddewr ond cafodd ei ladd gan Gymro o'r enw Rhys ap Maredudd. Un o farchogion mwyaf ffyddlon Harri oedd Rhys ap Maredudd ac ef oedd yn cario'i faner yn ystod y frwydr - baner y Ddraig Goch. Dyma faner genedlaethol Cymru heddiw.

Roedd ar Harri ddyled fawr i Gymru ac i'r Cymry. Hebddyn nhw efallai na fyddai wedi dod yn frenin ac ni fyddai **llinach** y Tuduriaid wedi dod i reoli Cymru a Lloegr.

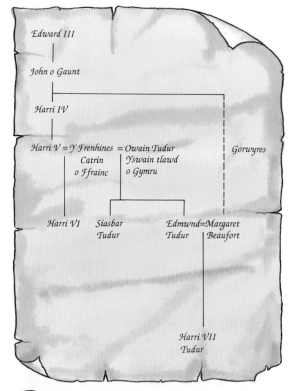

E Siart achau teulu'r Tuduriaid

Gellir dweud yn awr bod y Cymry wedi adfer eu hannibyniaeth gynt, oherwydd y mae Harri VII ddoeth a ffortunus yn Gymro.

F Ysgrifennwyd hyn gan lysgennad o Fenis a oedd yn ymweld â Lloegr yn 1486

1 Rhowch y digwyddiadau hyn yn eu trefn:
   a) Harri Tudur yn glanio yng Nghymru;
   b) Rhisiart III yn dod yn frenin;
   c) Harri Tudur yn mynd i fyw yn Ffrainc;
   d) brwydr Bosworth.

2 Edrychwch ar ffynhonnell E.
   Sut allai Harri hawlio'r orsedd trwy ei dad?

3 Edrychwch ar ffynhonnell B.
   a) Faint gymerodd hi i Harri ymdeithio trwy Gymru?
   b) 180 milltir yw'r pellter rhwng Dale ac Amwythig. Beth oedd y pellter yr oedd Harri a'i fyddin yn ei deithio bob dydd, ar gyfartaledd?
   c) Sut allai hyn fod wedi effeithio ar siawns Harri o ennill brwydr Bosworth?

4 Darllenwch ffynonellau C, D ac F.
   a) Pa un o'r ffynonellau, yn eich barn chi, sy'n dangos bod y Cymry'n casáu'r Saeson? Rhowch reswm dros eich ateb.
   b) Ar gyfer pob ffynhonnell, ysgrifennwch ai ffynhonnell wreiddiol neu ffynhonnell eilaidd ydyw. Rhowch reswm dros eich dewis bob tro.

5 Mewn parau, meddyliwch am y cwestiwn 'Pam y bu i bobl Cymru helpu Harri Tudur i ddod yn frenin?'
   a) Gwnewch restr o resymau gyda phob rheswm ar linell ar wahân.
   b) Ar gyfer pob rheswm rhowch farc allan o ddeg i ddangos pa mor bwysig oedd, yn eich barn chi, i bobl Cymru.

2 *T*uag at Deyrnas Unedig

Pe byddech wedi teithio gyda Harri Tudur trwy Gymru a Lloegr ym mis Awst 1485, beth fyddech chi wedi'i weld? Rhaid bod Harri wedi sylwi pa mor dlawd yr oedd tir a phobl Cymru o'u cymharu â Lloegr. Gwlad fach oedd Cymru gyda phoblogaeth o tua 275,000. Dyna faint poblogaeth Caerdydd heddiw. Roedd poblogaeth Lloegr yn 2.75 miliwn, deg gwaith maint poblogaeth Cymru. Roedd Lloegr hefyd bum gwaith yn fwy na Chymru.

Rhaid bod Harri wedi sylwi ar y gwahaniaeth rhwng pobl Cymru a Lloegr. Roedd bron pawb yng Nghymru yn siarad Cymraeg. Ychydig oedd yn gallu deall Saesneg. Tirfeddianwyr cyfoethog oedd am wasanaethu brenhinoedd Lloegr oedd y rheini fel arfer. Doedd Saeson a oedd yn dod i fyw i Gymru ddim yn trafferthu i ddysgu'r iaith. Iaith ryfedd yn cael ei siarad gan bobl ryfedd oedd eu barn hwy am y Gymraeg. Nid oedd y Saeson yn deall arferion y Cymry na'u diwylliant. Doedd ganddynt ddim ffydd yn y Cymry.

Treuliodd Harri wythnos yn ymdeithio trwy Gymru ar ei ffordd i Bosworth, ond wedi iddo ddod yn frenin, nid aeth yn ôl yno. Byddai ymdeithio trwy Gymru wedi bod yn anodd iawn. Gwlad o fynyddoedd uchel, dyffrynnoedd dwfn a choedwigoedd anferth oedd Cymru. Ychydig o ffyrdd oedd yna a llai fyth o bontydd dros afonydd llydan fel afon Tywi neu afon Conwy.

Ychydig o drefi oedd yng Nghymru. Y trefi mwyaf oedd Caerfyrddin, Hwlffordd ac Aberhonddu yn y de a Wrecsam yn y gogledd. Roedd eu poblogaeth tua 2,000 ond roedd y rhan fwyaf o drefi yn llawer llai. Roeddent yn bwysig am eu bod yn ganolfannau masnach lle byddai marchnadoedd yn cael eu cynnal bob wythnos. Roedd naw o bob deg o bobl Cymru a Lloegr yn byw mewn pentrefi bach yng nghefn gwlad. Roedd poblogaeth y rhan fwyaf o bentrefi Lloegr yn llai na 100. Yng Nghymru roedd yn llai fyth.

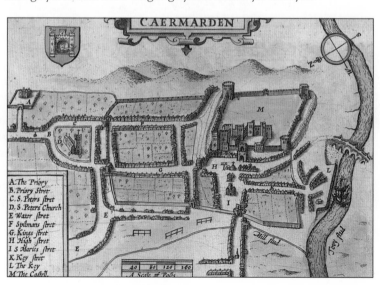

B Cynllun o Gaerfyrddin gan John Speed (1611). Hon oedd y dref fwyaf yng Nghymru

C Golygfa gyfoes o Lundain (1620)

Yr adeilad mwyaf a'r pwysicaf yn y pentrefi hyn oedd yr eglwys. Roedd pobl yn cymryd crefydd o ddifrif ac yn mynd i'r eglwys yn rheolaidd. Roeddent yn credu yn Nuw ac yn parchu'r offeiriad.

Roedd bron pawb yn byw ac yn gweithio ar y tir. Roedd ychydig yn berchen ar eu ffermydd eu hunain, roedd rhai yn rhentu darnau bach o dir ond roedd y rhan fwyaf yn gweithio i dirfeddianwyr cyfoethog a phwerus. Roeddent yn byw ar yr hyn allen nhw ei dyfu, ond roedd bywyd yn anodd a'r gwaith yn galed. Roedd bwydo'r teulu yn anodd i lawer.

Mae'r pridd mewn llawer man yng Nghymru yn wael ac felly nid yw'n lle da i dyfu cnydau. Ar ynys Môn ac ar diroedd gwastad Penfro a Morgannwg yn unig y byddech wedi gweld caeau agored o wenith a cheirch. Roedd y rhan fwyaf o ffermwyr Cymru a gogledd Lloegr yn defnyddio'u tir fel tir pori ar gyfer gwartheg a defaid. Roedd angen gwartheg i fwydo pobl trefi mawr Lloegr, Llundain a Bryste er enghraifft, lle roedd y boblogaeth yn cynyddu. Roedd angen mwy a mwy o wlân i wneud brethyn. Er mai gwneud brethyn oedd diwydiant pwysicaf Lloegr erbyn hyn, yr oedd diwydiannau eraill hefyd. Roedd gweithfeydd tun yng Nghernyw, gweithfeydd plwm yn sir Derby a gweithfeydd haearn yng Nghaint. Yng Nghymru roedd y diwydiant glo yn fychan ond yn tyfu. Roedd cloddio am blwm ac arian yn digwydd yng Ngheredigion ac am gopr yn Ynys Môn.

Y mae Llundain yn ddinas ddrewllyd, y futraf yn y byd i gyd.

D Disgrifiad Syr Philip Hoby o Lundain (1578). Sais oedd ef ac roedd wedi teithio o gwmpas Ewrop

Mae'n llawn o bob math o foethau, yn ogystal ag angenrheidiau bywyd. Ond y peth mwyaf rhyfeddol yn Llundain [yw'r] siopau.

E Disgrifiad ymwelydd o'r Eidal o Lundain (1500)

Pobl gyfrwys, dwyllodrus, a lladron yw'r Saeson; crogir dros 300 yn Llundain yn flynyddol, medden nhw.

F Disgrifiad Paul Hentzner, ymwelydd o'r Almaen, o'r Saeson yn *Travels in England* (1593)

---

1 Darllenwch y testun a'r ffynonellau.
  a) Gwnewch restr o'r gwahaniaethau rhwng Cymru a Lloegr ar ddechrau cyfnod y Tuduriaid.
  b) Pa un, yn eich barn chi, oedd y gwahaniaeth mwyaf? Dywedwch pam.
  c) Cymharwch y Gymru roedd Harri Tudur yn ei hadnabod gyda'r Gymru rydych chi'n ei hadnabod heddiw. Ysgrifennwch baragraff yn disgrifio'r tebygrwydd a'r gwahaniaethau.

2 Darllenwch ac edrychwch ar ffynonellau A i F.
  a) Pam, yn eich barn chi, fyddai Cymry am fyw mewn dinas fel Llundain?
  b) Rhowch ddau reswm pam efallai doedd rhai o bobl Llundain ddim yn hoffi byw yno.
  c) Eglurwch pam rydych chi'n credu bod barn Syr Philip Hoby am Lundain mor wahanol i farn yr ymwelydd o'r Eidal.

Cymru yn oes y Tuduriaid: cyn ac yn dilyn yr uno

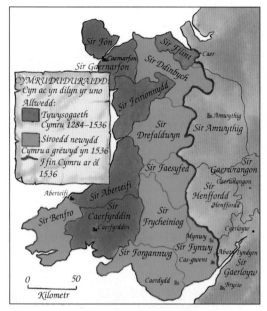

CYMRU'R DURAIDD!
Cyn ac yn dilyn yr uno
Allwedd:
☐ Tywysogaeth Cymru 1284–1536
☐ Siroedd newydd Cymru a grëwyd yn 1536
Ffin Cymru ar ôl 1536

Sir Fôn · Sir Fflint · Caer · Sir Gaernarfon · Caernarfon · Sir Ddinbych · Sir Feirionnydd · Amwythig · Sir Drefaldwyn · Sir Amwythig · Aberteifi · Sir Faesyfed · Sir Gaerwrangon · Caerwrangon · Sir Aberteifi · Sir Henffordd · Henffordd · Sir Benfro · Sir Gaerfyrddin · Caerfyrddin · Sir Frycheiniog · Caerloyw · Mynwy · Sir Fynwy · Abaty Tyndyrn · Cas-gwent · Sir Forgannwg · Sir Gaerloyw · Caerdydd · Bryste

0 ___ 50
Kilometr

Dros neu yn erbyn uno?
Dyma farn rhai haneswyr modern.

Cafodd Cymru ei 'Seisnigeiddio' mewn cyfraith a strwythur, ac yn gyffredinol roedd yn fodlon ar hynny oherwydd y manteision a ddaeth o ganlyniad i'r uno.

B G R Elton: *Reform and Reformation* (1977)

... polisi Cymreig y llywodraeth Seisnig fu ceisio difa'r iaith Gymraeg a difodi'r genedl Gymreig.

C Disgrifiodd Gwynfor Evans yr uno yn ei lyfr *Aros Mae* (1971)

Rhoddodd [yr uno] well trefn i Gymru nag oedd wedi ei chael ers blynyddoedd ac ar yr un pryd rhoddodd gyfle i fonheddwyr Cymreig yn Lloegr ac yng Nghymru ei hun.

D J D Mackie: *The Earlier Tudors* (1952)

Uno Cymru a Lloegr
Collodd Cymru ei hannibyniaeth rhwng 1282 ac 1543. Yn 1282 lladdodd Edward I Llywelyn, tywysog olaf y Cymry, a choncro'r wlad gyfan. Yn Rhuddlan yn 1284 pasiwyd statud (deddf) oedd yn rhannu'r wlad yn ddwy ran. Edward oedd yn gyfrifol am reoli holl diroedd Llywelyn ac fe wnaeth ei fab hynaf yn Dywysog Cymru. Yr enw ar y tiroedd hyn oedd y Dywysogaeth a Saeson a oedd yn swyddogion i'r brenin oedd yn eu rheoli.

Arglwyddi pwysig o Loegr oedd wedi concro llawer o dir Cymru cyn 1283 oedd yn rheoli gweddill y wlad. Y Gororau oedd y tiroedd hyn ac Arglwyddi'r Gororau oedd yn eu rheoli, a hynny yn aml heb gymryd sylw o orchmynion y brenin. Roedd ganddynt fyddinoedd preifat a'u deddfau eu hunain, ac yn aml byddent yn gormesu eu tenantiaid Cymreig.

Roedd buddugoliaeth Harri Tudur yn Bosworth yn 1485 wedi plesio'r Cymry. Roedd y bobl oedd yn byw ar y Gororau yn meddwl y byddai Harri yn eu rhyddhau o reolaeth lym ac annheg Arglwyddi'r Gororau. Ond roedd y brenin newydd yn rhy brysur yn Lloegr yn cadw'i orsedd yn ddiogel rhag ei elynion.

Cafodd y Cymry a oedd yn byw yn y Dywysogaeth well lwc. Gan mai'r brenin oedd biau'r tiroedd hyn roedd yn gallu gwobrwyo'r arweinwyr o Gymru oedd wedi ei helpu i ddod yn frenin. Fe roddodd deitlau a swyddi pwysig iddynt. Rhoddwyd grym i Syr Rhys ap Tomos yn y de ac i William Gruffudd yn y gogledd.

Pan oedd Harri VIII yn frenin dechreuodd boeni am yr adroddiadau am anhrefn a therfysg yn nhiroedd y Gororau. Arglwyddi'r Gororau oedd yn cael y bai am gynnydd mewn troseddau fel dwyn gwartheg, dwyn a llofruddio. Roedd rhai

Bonheddwyr uchelgeisiol o Gymru yn awyddus i gael swyddi

troseddwyr yn torri'r gyfraith yn Lloegr ac yn dianc i Gymru lle caent waith gan yr arglwyddi hyn. Roedd ar swyddogion cyfreithiol y brenin ofn eu restio. Roedd Harri VIII yn credu bod Arglwyddi'r Gororau erbyn hyn yn rhy bwerus ac y gallent **wrthryfela** yn ei erbyn.

Roedd Harri VIII yn poeni'n arbennig nad oedd llawer o bobl yn hoffi'r newidiadau roedd yn eu gwneud yn yr Eglwys (Gweler Pennod 4). Efallai y byddent yn gofyn i'w elynion, sef brenin Ffrainc a brenin Sbaen, oresgyn Lloegr trwy Gymru. Roedd Harri'n cofio mai dyma wnaeth ei dad yn 1485.

Yn 1534 rhoddodd y brenin y gwaith o reoli Cymru i Rowland Lee. Roedd ganddo'r grym i grogi troseddwyr, cosbi Arglwyddi'r Gororau ac amddiffyn arfordir Cymru. Dyn creulon oedd Lee. Un tro crogodd droseddwr marw i ddangos i bobl nad oedd neb yn gallu ei osgoi. Roedd bron pawb yn ofni ac yn casáu Lee. Ond trwy ei waith caled cafwyd gwell trefn ar bethau yng Nghymru.

Roedd gwaith Lee wedi paratoi ar gyfer prif gynllun Harri VIII i Gymru: uno â Lloegr. Roedd y brenin am gael gwared ag Arglwyddiaethau'r Gororau a rheoli Cymru. Yn 1536 ac 1543 pasiodd y brenin ddeddfau a fyddai'n newid Cymru am byth. Cafodd Arglwyddi'r Gororau eu dileu.Unwyd y Gororau a'r Dywysogaeth a rhannwyd y wlad gyfan yn siroedd tebyg i rai Lloegr; roedd 13 o siroedd yng Nghymru. Rhoddwyd yr un hawliau i'r Cymry ag i'r Saeson. Gallent ddod yn Aelodau Seneddol a chael swyddi pwysig, er enghraifft fel **Ynad Heddwch** neu **siryf**. Roedd y deddfau hyn yn ei gwneud yn haws i Harri VIII reoli Cymru.

Roedd pobl Cymru yn falch o fod yn rhydd oddi wrth Arglwyddi'r Gororau. Ond roedd rhai yn anhapus. Yn eu barn hwy doedd uno Cymru a Lloegr ddim yn beth da i'r **diwylliant** Cymraeg. Yn lle cyfraith Cymru cafwyd cyfraith Lloegr. Saesneg oedd iaith y llysoedd barn. Roedd rhaid i Gymro oedd am fod yn ynad heddwch, yn aelod seneddol neu yn siryf siarad Saesneg. Roedd tirfeddianwyr cyfoethog a phwerus Cymru yn ymddwyn yn debycach i'r Saeson ac yn troi eu trwynau ar yr iaith Gymraeg. Er gwaethaf hyn, goroesodd iaith a diwylliant Cymru.

Bu'r Uno o fudd mawr i rai Cymry. Yn siroedd Caernarfon, Dinbych a Maesyfed, prynodd llawer o dirfeddianwyr Cymreig dir, gwartheg ac adeiladau gan Harri. Daeth llawer o'r tirfeddianwyr hyn yn Aelodau Seneddol eu siroedd neu yn Ynadon Heddwch.

E Simon Mason: *The Making of the UK* (1992) - gwerslyfr ysgol

Fydd yr un lleidr o Gymro'n cael y gorau arnaf fi!

F Dywedir bod Rowland Lee wedi crogi 5,000 mewn 9 mlynedd

---

1 Pa ran chwaraeodd y bobl hyn yn uno Cymru a Lloegr:
    a) Edward I;
    b) Harri VII;
    c) Rowland Lee;
    d) Harri VIII?
    e) Pa berson yn y rhestr sy'n wahanol i'r lleill? Rhowch reswm dros eich dewis.
2 Darllenwch ffynonellau B, C, D ac E.
    a) Pa un, yn eich barn chi, sydd wedi ei hysgrifennu gan Gymro? Eglurwch sut y gwnaethoch eich penderfyniad.
    b) I ba rai o bobl Cymru yr oedd yr uno yn fantais, ac i ba rai yn anfantais?
3 Darllenwch y testun a'r ffynonellau yn ofalus.
    a) Gwnewch restr o'r rhesymau pam yr unwyd Cymru a Lloegr.
    b) Nodwch yn fyr amodau deddfau 1536 ac 1543.
    c) Nodwch yn fyr rai o ganlyniadau'r uno i ddiwylliant Cymru.

3 Sut ddefnyddiodd y Tuduriaid eu grym?

Rhwng 1485 ac 1603 daeth pum aelod o deulu'r Tuduriaid yn frenin neu yn frenhines ar Gymru a Lloegr. Credai pob brenin a brenhines eu bod wedi eu dewis gan Dduw i reoli'r deyrnas. Yr enw ar y syniad hwn oedd **Dwyfol Hawl**. Roedd pob brenin neu frenhines newydd yn cymryd rhan mewn seremoni arbennig, y Coroni. Yn ystod y seremoni byddai'n addo rheoli'n ddoeth ac yn deg, amddiffyn y deyrnas a'i phobl a sicrhau ffyniant. Yna byddai **deiliaid** pwysicaf y deyrnas yn tyngu llw o deyrngarwch i'r brenin neu'r frenhines newydd.

Y mae popeth o blaid y brenin, yn enwedig trysorau di-rif ac oherwydd bod holl uchelwyr y deyrnas yn gwybod am ei ddoethineb brenhinol ac yn ei barchu neu yn hoff iawn ohono. Nid yw Lloegr erioed wedi bob mor [heddychlon] ac ufudd ag y mae yn awr.

A Ysgrifennwyd hyn gan y Llysgennad o Milan, yr Eidal (1497)

Yr oedd ei feddwl yn gryf a chadarn bob amser, hyd yn oed ar adegau o berygl mawr. Yr oedd yn graff ac yn ddewr wrth lywodraethu ac ni feiddiai neb gael y gorau arno trwy dwyll neu ddichell. Yr oedd yn raslon, yn garedig a'i letygarwch yn hael ryfeddol ... Yn raddol peidiodd â bod yn deg a suddo i stad o drachwant. Byddai unrhyw un o'i ddeiliaid cyfoethog a gâi ei ddyfarnu'n euog o unrhyw fai yn cael ei ddirwyo er mwyn i'w gyfoeth gael ei feddiannu.

D Eidalwr o Fenis a oedd wedi ymsefydlu yn Lloegr oedd Polydore Vergil. Bu'n gweithio yn Llysoedd Harri VII a Harri VIII. Daw'r dyfyniad hwn o'i lyfr *Anglica Historia* (Hanes Lloegr) (1512)

Gwnaeth gynghreiriau gyda phob tywysog Cristnogol.
Ofnid ei allu ym mhobman, o fewn ei deyrnas a'r tu allan iddi.
Byddai'r bobl yn ufuddhau iddo gymaint ag unrhyw frenin arall.
Am lawer dydd roedd heddwch yn y tir.
Ar adegau o berygl, byddai'n cynllunio mewn modd oeraidd a chlyfar.
Dôi i wybod am unrhyw gynllwyn yn ei erbyn.
Yr oedd ei drysorau a'i gyfoeth yn eang, a'i adeiladau'n hardd yn yr arddull ddiweddaraf.

B Rhan o bregeth yr Esgob Fisher yn angladd Harri VII (1509)

C (dde) Darlun o'r Frenhines Elisabeth I adeg ei choroni (1559)

Symbolau grym seremoni'r coroni. Byddai Archesgob Caer-gaint yn eneinio'r brenin/frenhines ag olew santaidd

Gorsedd y coroni gyda chanopi

Y goron

Brenhinedd a breninesau Tuduraidd

Dwy deyrnwialen frenhinol sy'n arwydd o rym a chyfiawnder-y golomen,trugaredd

Mae'r clogyn drudfawr wedi ei addurno â ffwr yn arwydd o gyfoeth

Mae'r breichledau yn arwydd o ddidwylledd a doethineb

Ystyr y bêl yw'r byd o dan rym Crist

Mae'r cleddyf gemog er mwyn amddiffyn y bobl

Mae'r sbardunau euraid yn arwydd o urdd marchog

Y mae Harri mor farus fel na fyddai holl gyfoeth y byd yn ddigon iddo ... Nid yw [y brenin] yn ymddiried yn neb ... ac ni fydd yn peidio â throchi ei ddwylo mewn gwaed tra bydd yn amau'r bobl.

F Ysgrifennwyd hyn gan Lysgennad Ffrainc at frenin Ffrainc (1540)

Yn sicr nid oedd Harri yn gwahaniaethu rhwng ei fywyd fel person a'i fywyd fel brenin. Iddo ef yr un peth oeddent. Yr oedd yn frenin 24 awr y dydd, oherwydd nid oedd ganddo fywyd personol ar wahân i'w fywyd fel brenin ... nid oedd bod yn frenin yn rhywbeth i weithio arno ... fel roedd i'w dad ... yr oedd yn beth naturiol ... nad oedd angen unrhyw ymdrech na hyfforddiant arbennig.

G K Randell: *Henry VIII and the Government of England* (1991)

Roedd y brenin ifanc [Harri VIII] yn alluog ond nid oedd ei dalentau wedi eu disgyblu ... Byddai'n rhoi sylw i'r gwaith o lywodraethu dim ond ... pan fyddai'r awydd yn codi a phan fyddai dilyn pleserau yn caniatáu hynny. Iddo ef, roedd ysgrifennu yn ddiflas a phoenus ... Defnyddiai'r salwch lleiaf yn esgus i beidio â gweithio am ddyddiau lawer. Roedd materion y wlad yn gorfod bod yn ail i'w gûn a'i geirw.

H C Morris: *The Tudors* (1955)

---

1 Gan ddefnyddio ffynhonnell E, gwnewch restr o'r symbolau yn y coroni sy'n dangos bod y brenin/frenhines:
   a) yn gyfoethog;
   b) yn bwerus a chyfiawn;
   c) yn cefnogi'r Eglwys;
   d) yn amddiffynnydd y bobl;
   e) yn filwr dewr;
   f) yn ddoeth.

2 Darllenwch ffynonellau A, B a D. Rhannwch eich tudalen yn ddwy golofn gyda'r penawdau 'cryfderau' a 'gwendidau'.
   a) Rhestrwch gryfderau a gwendidau Harri Tudur fel brenin.

b) Pa un o'r tair ffynhonnell yw'r fwyaf dibynadwy a pha un yw'r lleiaf dibynadwy? Eglurwch eich dewis.

3 Darllenwch ffynonellau F, G ac H.
   a) Beth rydych yn ei ddysgu am Harri VIII yn ffynhonnell F?
   b) Beth, ym marn awdur ffynhonnell H, oedd gwendidau Harri VIII?
   c) Ym mha ffordd y mae ffynhonnell H yn anghytuno â ffynhonnell G? Eglurwch pam y mae rhai haneswyr modern weithiau â barn wahanol am Harri VIII.

4 Cymharwch Harri VII â Harri VIII. Pa un oedd y brenin gorau, yn eich barn chi? Eglurwch eich dewis.

Elisabeth I (1558-1603)

Y Tuduriaid oedd y teulu brenhinol cyntaf i gyflogi arlunwyr i beintio portreadau o'r teulu. Byddai llawer o bortreadau yn cael eu copïo o un portread gwreiddiol. Roedd portreadau yn debyg i ffotograffau heblaw am un peth; roeddent yn cael eu peintio i greu delwedd a fyddai'n creu argraff ar y bobl gyffredin. Doedd Elisabeth ddim yn caniatáu paentiadau oedd yn gwneud iddi edrych yn hyll, yn hen neu yn wan. Nid dangos y person yn unig fyddai portreadau. Yn aml byddent yn cynnwys gwybodaeth am rym a gorchestion y brenin neu'r frenhines.

Mae llawer wedi gwneud portreadau o'r Frenhines ond nid oes un wedi dangos ei gwir harddwch a'i swyn. Felly mae ei Mawrhydi yn gorchymyn nad oes neb i wneud portreadau ohoni hyd nes bydd peintiwr celfydd wedi gorffen un y gall pob peintiwr arall ei gopïo. Yn y cyfamser mae ei Mawrhydi yn gwahardd dangos unrhyw bortreadau hyll ohoni, hyd nes y cânt eu gwella.

A Gorchymyn a gyhoeddwyd gan Syr William Cecil, prif weinidog Elisabeth, yn 1570

Nid oes gan neb feddwl cyflymach na hi, na neb sydd â chof cystal ... mae'n siarad Ffrangeg ac Eidaleg fel Saesneg; [mae'n siarad] Lladin yn rhugl.

C Roger Ascham, tiwtor Elisabeth (1550)

D (isod) Darlun cyfoes o'r Llys. Dangosir Elisabeth yn dawnsio gyda Robert Dudley, Iarll Caerlŷr, a oedd yn ffefryn ganddi. [Arlunydd anhysbys]

B Portread o Elisabeth yn dywysoges 14 oed (tua 1547). [Arlunydd anhysbys]

Ar ei phen gwisgai wallt gosod mawr coch ... Mae ei hwyneb yn hen yr olwg. Mae ei dannedd yn felyn ac yn ddi-siâp ... Mae hi wedi colli llawer ohonynt ac felly nid yw'n hawdd ei deall pan fydd yn siarad.

F Adroddiad a anfonodd Llysgennad Ffrainc am Elisabeth at Frenin Ffrainc (1595)

Roedd ei hwyneb yn betryal, yn deg ond yn grychiog; ei llygaid yn fach, ond yn ddu a dymunol; ei thrwyn braidd yn gam, ei gwefusau'n fain ... ei gwallt ... o liw gwinau, ond yn ffug.

G Disgrifiad Paul Hentzner, ymwelydd o'r Almaen, o Elisabeth yn 1598

H Elisabeth mewn gorymdaith (1600). [Priodolir i Robert Peake]

E (*uchod*) Portread yr Armada (1588). [George Gower]

1 a) Gan ddefnyddio ffynonellau B, D, E, F, G a H, ysgrifennwch baragraff yn disgrifio sut roedd Elisabeth I yn edrych ar wahanol gyfnodau yn ei bywyd.

b) Edrychwch ar ffynhonnell B. Pam allai'r portread hwn o Elisabeth fod yn fwy defnyddiol na'r darluniau eraill fel tystiolaeth amdani?

c) Eglurwch pam y mae mor anodd darganfod sut olwg yn union oedd ar Elisabeth.

2 a) Pa un o'r ffynonellau sy'n awgrymu bod Elisabeth yn ddeallus?

b) Edrychwch ar ffynhonnell D. Beth mae'n ei ddweud am gymeriad Elisabeth?

c) Edrychwch yn fanwl ar ffynhonnell E. Pa ddelwedd o Elisabeth geir yma?

3 a) Edrychwch ar ffynhonnell H. Sut mae'r arlunydd wedi gwneud i Elisabeth edrych yn bwerus a'r person pwysicaf yn y llun?

b) Pa un o'r ffynonellau ysgrifenedig fyddech chi'n ei dewis i gefnogi eich ateb i'r cwestiwn blaenorol? Eglurwch eich dewis.

4

Harri VIII a'r Eglwys Babyddol

Os bydd unrhyw berson ... trwy ysgrifennu, argraffu, pregethu neu addysgu ... yn amddiffyn grym Esgob Rhufain, a elwir gan rai yn Bab ... caiff ei gosbi.

A   Deddf a basiwyd gan y Senedd (1535)

... caniateir iddynt [y swyddogion] 21c yn gostau a threuliau ... wrth losgi Thomas Capper, a [gafwyd yn euog] o heresi yng Nghaerdydd ... a fu yng ngharchar yno ... 130 o ddyddiau

B   Cais am dreuliau gan swyddogion tref Caerdydd (1543)

Newidiadau crefyddol oedd y newidiadau mwyaf yn Ewrop yn ystod yr unfed ganrif ar bymtheg. Yn 1500 un Eglwys oedd yna ac yr oedd pob Cristion yn aelod ohoni. Yr enw arni oedd yr Eglwys Babyddol a'i harweinydd oedd y Pab a oedd yn byw yn Rhufain. Ond erbyn 1600 roedd dwy Eglwys Gristnogol, yr Eglwys Babyddol a'r Eglwys Brotestannaidd. Er bod pobl yn parhau i gredu yn yr un Duw, doedden nhw ddim yn cytuno ar y ffordd orau i'w addoli. Arweiniodd yr anghytuno hwn at drais mewn rhai gwledydd a rhyfeloedd rhwng gwledydd eraill.

Dechreuodd y newidiadau hyn yn yr Almaen yn 1517 pan feirniadodd mynach o'r enw Martin Luther yr Eglwys a'r Pab. Roedd e'n meddwl eu bod erbyn hyn yn rhy gyfoethog, yn rhy bwerus ac, yn waeth na dim, yn llwgr. Roedd ar Luther eisiau diwygio (newid) yr Eglwys ond wnâi'r Pab ddim gwrando. Roedd llawer o bobl yn cytuno gyda Luther, a dechreuodd ei syniadau ledaenu dros Ewrop gyfan. **Ysgymunodd** y Pab ef a'i ddilynwyr.

Doedd Harri VIII ddim yn hoffi protest Luther yn erbyn y Pab. Pabydd oedd Harri, yr un fath â phobl Cymru a Lloegr. Yn 1521 ysgrifennodd lyfr yn cefnogi'r Pab. Rhoddodd y Pab y teitl *Fidei Defensor*, Diffynnydd y Ffydd, iddo fel gwobr.

Ymosododd Harri ar syniadau Protestannaidd Luther hefyd am ei fod yn ofni y byddai beirniadu'r Eglwys yn annog pobl i feirniadu'r frenhiniaeth. Roedd hyn wedi digwydd i rai o Dywysogion yr Almaen. Er mwyn ceisio rhwystro hyn, aeth Harri ati i **erlid** pob Protestant. Roedd y Pab yn ei gefnogi.

Erbyn 1534, roedd Harri, fel Luther, wedi ffraeo gyda'r Pab. Roedd barn Harri am rym y Pab a chyfoeth yr Eglwys wedi newid. Pam?

Y dyn oedd yn gyfrifol am newid barn y brenin am yr Eglwys a'r Pab oedd ei brif weinidog, Thomas Cromwell. Argyhoeddodd Cromwell y brenin y dylai ei gyhoeddi ei hun yn Ben yr Eglwys yng Nghymru a Lloegr yn lle'r Pab. Gwyddai Harri y byddai angen cefnogaeth arweinwyr y deyrnas a'r Eglwys er mwyn gwneud hyn.

Roedd dyn pwysicaf yr Eglwys, Thomas Cranmer Archesgob Caer-gaint, yn cefnogi cynllun y brenin. Llwyddodd Cromwell i gael y Senedd i gefnogi Harri yn erbyn y Pab a phasio deddfau i wneud Harri'n Ben Goruchaf yr Eglwys. Ysgymunodd y Pab Harri VIII.

C   *(chwith)* Roedd Syr Thomas More yn ffrind a chynghorwr i Harri VIII. Cafodd ei ddienyddio yn 1535 am wrthod derbyn y brenin yn Ben yr Eglwys

Cymhellion Harri VIII

Roedd Harri eisiau ysgariad
Roedd llawer o blant wedi eu geni i'w wraig Sbaenaidd, Catrin o Aragon, ond merch o'r enw Mari oedd yr unig un a oedd yn fyw. Roedd Harri eisiau mab. Credai Harri fod Duw wedi melltithio'i briodas oherwydd bod Catrin hefyd wedi bod yn briod â'i frawd Arthur a oedd wedi marw. Erbyn 1527 roedd Harri'n poeni bod ei wraig yn rhy hen i gael mwy o blant. Gofynnodd Harri i'r Pab am ganiatâd i ysgaru oddi wrth ei wraig. Gwrthododd y Pab.

Roedd Harri eisiau mwy o arian
Roedd e' wedi gwario symiau anferth o arian yn ymladd rhyfeloedd tramor ac yn adeiladu palasau. Yr Eglwys oedd y tirfeddiannwr mwyaf cyfoethog yn y deyrnas heblaw'r Goron. Roedd hyn yn arbennig o wir am y mynachlogydd. Pe bai Harri yn eu rheoli, byddai'n gyfoethog.

Roedd Harri eisiau rheoli'r Eglwys
Roedd llawer o rym gan yr Eglwys. Ers y ffrae rhwng Archesgob Becket a'r Brenin Harri II yn 1170, roedd y Goron wedi bod yn dadlau gyda'r Eglwys i bwy ddylai'r esgobion a'r offeiriaid ufuddhau: y Pab neu'r brenin? Roedd Harri'n ofni y byddai'r Eglwys yn cefnogi'r Pab ac yn troi yn ei erbyn. Credai Harri y byddai'n fwy pwerus petai ef, ac nid y Pab, yn rheoli'r Eglwys.

Roedd Harri eisiau mab ac etifedd
Credai ef mai dim ond trwy gael ei rheoli gan frenin y gallai gwlad fod yn gryf. Roedd Harri eisiau priodi Anne Boleyn. Roedd hi'n ifanc ac wedi addo mab iddo. Yn 1533 roedd hi'n disgwyl babi. Roedd Harri'n siwr y byddai'r plentyn yn fachgen. Gofynnodd i'r Pab ganiatáu iddo briodi Anne. Gwrthododd y Pab.

---

1 Edrychwch ar y rhesymau posibl canlynol pam y bu i Harri VIII dorri i ffwrdd oddi wrth yr Eglwys Babyddol. Rhestrwch nhw yn nhrefn eu pwysigrwydd gan roi'r pwysicaf yn gyntaf.
   i)   Roedd y Pab yn gwrthod rhoi ysgariad i Harri.
   ii) Roedd Harri yn genfigennus o rym a chyfoeth yr Eglwys.
   iii) Roedd Catrin, gwraig Harri, yn rhy hen i gael mwy o blant.
   iv) Gwrthododd y Pab ganiatáu i Harri briodi Anne Boleyn.
   v)   Roedd Harri eisiau mab ac etifedd.
   vi) Credai Harri na fyddai ei ferch Mari yn frenhines dda.
   vii) Roedd Anne Boleyn yn disgwyl babi.
   viii) Roedd Harri yn brin o arian.
   ix) Cyngor Cromwell i'r brenin.

2 Darllenwch ac edrychwch ar ffynonellau A, B a C.
   a) Pa un o'r ffynonellau sy'n awgrymu bod Harri'n disgwyl i rai pobl fod yn erbyn iddo ei wneud ei hun yn Ben yr Eglwys?
   b) Pa un o'r ddau ddyn a gafodd eu dienyddio oedd yn Brotestant? Rhowch reswm dros eich dewis.
   c) Pam, yn eich barn chi, nad oedd gan Harri ddewis ond dienyddio'i ffrind?

3 Defnyddiwch eiriadur a'r Eirfa ar dudalen 80 i'ch helpu. Chwiliwch am y geiriau canlynol ac esboniwch eu hystyr:

Protestant   diwygio
ysgymuno   heresi
erlid

Rhannau o rai o adroddiadau'r arolygwyr (1535)

Cafwyd y prior bryd hynny [11 a.m.] yn y gwely gyda gwraig ... yr oedd y ddau yn noeth.

C   Mynachlog yn Llundain

... nid oedd na llestr, na phadell, na mynach yn y dywededig dŷ ac eithrio un a oedd yn byw yn y dref ... bwriadaf gau'r ... tŷ ...

D   Priordy Mynwy yng Nghymru

Roedd [yr abad] yn hoff o chwarae dis a chardiau, ... gan dreulio llawer o arian [ar hyn], ac ar adeiladu er pleser iddo'i hun. Nid oedd yn pregethu'n agored.

E   Abaty Bury St Edmund, Suffolk

Ysgrifennwn i gefnogi'r dywededig [fynach]dy Mae'n hoff gan bobl yr abad ... ac mae yno wyth person crefyddol, offeiriaid ... da eu hymddiddan a'u buchedd.

F   Abaty Woolsthorpe yn sir Lincoln

... dywed llais y wlad tra bydd mynachod gennych ... ni fydd gennych reolaeth dda na threfn dda yno; clywaf ddweud o'r fath gan bobl gyffredin am yr holl fynachdai sydd gennych [yng] Nghymru.

G   Adroddiad John Vaughan, un o arolygwyr Cromwell yn ne Cymru

Cau'r mynachlogydd

Aeth Pen Goruchaf newydd yr Eglwys yng Nghymru a Lloegr, sef Harri VIII, ati i newid pethau. Yr enw y mae haneswyr yn ei roi ar y newidiadau hyn yw'r **Diwygiad** Protestannaidd. Y newid pwysicaf a wnaeth Harri yn yr Eglwys oedd cau'r mynachlogydd a'r lleiandai.

Yr oedd hon yn dasg enfawr. Yr oedd 9,000 o fynachod a lleianod yn byw mewn dros 800 o dai crefyddol yng Nghymru a Lloegr. Roedd mynachlogydd a lleiandai Cymru yn aml yn fach ac yn dlawd ond yn Lloegr roedd llawer o rai mawr a chyfoethog. Nhw oedd piau dros chwarter yr holl dir yn y deyrnas. Roedd eu hincwm blynyddol yn fwy nag un y brenin. Byddai'r mynachlogydd a'r lleiandai yn aml yn helpu'r tlawd a'r cleifion ac yn fannau gorffwys i deithwyr.

Argyhoeddodd Thomas Cromwell Harri mai ef fel Pen yr Eglwys ddylai reoli'r cyfoeth hwn. Roedd Harri'n hoffi'r syniad. Roedd e' bob amser yn brin o arian.

Doedd y brenin ddim yn trystio'r mynachod a'r lleianod. Credai Harri fod y rhan fwyaf ohonyn nhw'n dal i feddwl am y Pab fel eu harweinydd, yn hytrach nag ef. Dywedodd Cromwell wrth y brenin y gallai'r mynachod godi yn ei erbyn. Roedd Harri'n poeni am hyn, felly penderfynodd gau'r mynachlogydd.

A   Thomas Cromwell (tua'r 1530au)

B   Roedd y mynachod a'r lleianod yn gwneud tair adduned

Sylweddolodd y brenin a Cromwell fod angen iddyn nhw gael rheswm dros gau'r mynachlogydd. Felly yn 1535 anfonodd Cromwell dîmau o arolygwyr a ddewiswyd yn arbennig ganddo i wneud adroddiad ar gyflwr y mynachdai a'r lleiandai. Roedd Cromwell eisiau i'w arolygwyr roi tystiolaeth iddo yn dangos pa mor farus, mor ddi-hid a llwgr oedd y mynachod a'r lleianod erbyn hyn.

Dywedodd arolygwyr Cromwell fod rhai mynachod yn ddiog ac yn chwilio am bleserau. Roedd eraill yn torri rheolau'r mynachdy. Daeth yr arolygwyr ar draws mynachod gyda gwragedd a phlant, a hyd yn oed ambell leian oedd yn disgwyl babi! Roedd rhai o'r achosion gwaethaf yng Nghymru. Cafwyd Robert Salusbury, abad neu brif fynach Glyn Egwestl, yn euog o fod yn lleidr pen-ffordd. Yn Ystrad Fflur, cosbwyd mynach o'r enw Dan Richard am ffugio arian. Er gwaethaf hyn, nid oedd pob adroddiad yn wael, ond dim ond y rhai gwael oedd gan Cromwell ddiddordeb yn eu darllen.

Wedi iddo ddarllen yr adroddiadau, penderfynodd Harri ddefnyddio'r Senedd i'w helpu i gau'r mynachlogydd. Roedd arno ofn y gallai cau pob tŷ crefydd ar yr un pryd fod yn amhoblogaidd. Felly yn 1536 cafwyd Deddf Seneddol i gau'r holl dai crefydd bychain. Erbyn 1540 yr oedd y rhai mawr hefyd wedi cau.

Gwrthwynebodd pum abad y brenin; cawson nhw eu crogi yn eu mynachlogydd. Gwrthryfelodd miloedd o bobl yng ngogledd Lloegr. Yr enw ar hyn oedd Pererindod Gras. Cyfreithiwr o'r enw Robert Aske oedd yr arweinydd. Roedd yn gobeithio perswadio'r brenin i gael gwared â Cromwell ac ailagor y mynachlogydd. Chwalwyd y gwrthryfel a chrogwyd yr arweinwyr.

Roedd pob tŷ crefydd wedi ei gau erbyn 1540. Harri VIII gafodd eu holl gyfoeth a'u heiddo. Cafodd rhai o'r mynachod a'r lleianod bensiwn, ond ni chafodd llawer ohonyn nhw unrhyw beth.

H Ffotograff o Abaty Tyndyrn yng Ngwent (1993)

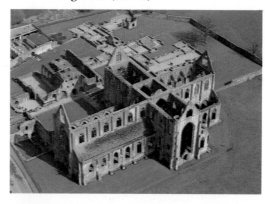

I Darlun gan arlunydd modern o'i syniad ef o Dyndyrn cyn cau'r mynachlogydd

1 Ysgrifennwch am y rhan a chwaraeodd pob un o'r bobl hyn i gau'r mynachlogydd:
  a) Harri VIII;
  b) Thomas Cromwell;
  c) John Vaughan;
  d) Robert Aske.

2 Darllenwch ffynhonnell B. Pa un o'r addunedau hyn fyddai'n poeni'r brenin fwyaf? Eglurwch pam.

3 Darllenwch ffynonellau C i E. Pa ffynhonnell/ffynonellau sy'n awgrymu:
  a) Bod rhai arolygwyr yn gwrando ar glecs a mân siarad lleol er mwyn gallu ysgrifennu eu hadroddiadau;
  b) Bod prinder mynachod mewn rhai mynachlogydd;
  c) Bod rhai mynachod yn torri eu haddunedau o dlodi a diweirdeb;
  d) Nad oedd cau'r mynachlogydd wedi bod mor amhoblogaidd yng Nghymru ag yr oedd yn Lloegr? Eglurwch eich atebion.

4 a) Pa rai o'r adroddiadau doedd gan Cromwell ddim diddordeb ynddyn nhw? Pam?
  b) Ydy'r dystiolaeth yn y ffynonellau hyn yn profi bod y mynachlogydd yn llwgr ac y dylid eu cau?

5 Rydych chi'n arolygwr. Gan ddefnyddio'r wybodaeth sydd yn y testun a'r ffynonellau, ysgrifennwch adroddiad i Cromwell. Yn eich adroddiad:
  a) Chwiliwch am dystiolaeth sy'n dangos nad oedd mynachod a lleianod yn byw fel y dylen nhw;
  b) Awgrymwch wrth Cromwell beth ddylai ei wneud â nhw.

5 Edward Druan a Mari Waedlyd

B Mae rhai murluniau a ffenestri lliw Pabyddol wedi goroesi. Yr eglwys yn Breage, Cernyw (tua 1460-90)

Cyfanswm y nifer a losgwyd yn ystod teyrnasiad Mari oedd 284. Llosgwyd 5 esgob, 21 gweinidog, 8 bonheddwr, 184 o ffermwyr, gweision a llafurwyr, 46 o wragedd a gwragedd gweddw, 9 merch, 2 fachgen a 2 faban.

C Rhoddwyd y ffigurau hyn gan John Foxe yn ei *Book of Martyrs* (1563)

Llosgwyd un Rogers yn gyhoeddus ddoe. Wylai rhai o'r gwylwyr, gweddïai eraill ar i Dduw roi iddo nerth i ddiodde'r boen, ... roedd eraill yn bygwth yr Esgobion. Credaf y byddai'n ddoeth peidio â bod yn rhy galed yn erbyn y Protestaniaid, fel arall rwyf yn rhag-weld y gall y bobl achosi gwrthryfel.

D Llythyr gan Simon Renard, Llysgennad Sbaen yn Llundain, at y Brenin Philip (1555)

Bu farw Harri VIII yn 1547. Edward, ei fab naw mlwydd oed, oedd y brenin newydd. Ond roedd Edward druan yn blentyn eiddil. Roedd yn rhy ifanc i reoli'r wlad, felly cafodd cyngor o uchelwyr ei sefydlu i reoli ar ei ran. Arweinydd y cyngor oedd Dug Somerset, ewythr i Edward.

Credai Somerset nad oedd Harri VIII wedi newid digon ar yr Eglwys; roedd ef am gael Eglwys Brotestannaidd. Roedd Edward wedi ei fagu'n Brotestant a gan mai ef oedd y brenin, ef oedd Pen yr Eglwys. Gyda'i gefnogaeth ef, dechreuodd Somerset newid gwasanaethau a chredoau'r Eglwys.

Doedd yr Eglwys Babyddol ddim yn caniatáu i offeiriaid gael gwragedd a phlant. Ond yng nghyfnod Edward cafodd offeiriaid ganiatâd i briodi. Roedd llawer o addurniadau mewn eglwysi Pabyddol: darluniau lliwgar a ffenestri lliw. Ond roedd yn well gan y Protestaniaid eglwysi plaen a syml, felly gorchmynnodd Somerset i'r allorau, y delwau a'r darluniau gael eu symud. Llyfrau gweddi Lladin oedd gan y Pabyddion, felly cafwyd Llyfr Gweddi Protestannaidd newydd yn Saesneg, a chynhaliwyd y gwasanaethau yn Saesneg.

Am y tro cyntaf gallai pobl Lloegr ddeall y gwasanaeth yn yr eglwys. Ond doedd hyn ddim yn wir am Gymru. Saesneg oedd yr iaith ddaeth yn lle Lladin yno hefyd; cafodd yr iaith Gymraeg ei hanwybyddu. I'r Cymry, roedd Saesneg yr un mor ddieithr â Lladin. Doedden nhw ddim yn gallu deall yr un o'r ddwy iaith, ond o leiaf roedden nhw wedi arfer â Lladin. Roedd y Cymry wedi'u cynhyrfu.

Doedd rhai o aelodau'r cyngor ddim yn hapus gyda Somerset, felly rhoddwyd Dug Northumberland yn ei le. Roedd ef am wneud yn siwr y byddai Cymru a Lloegr yn wledydd Protestannaidd. Ond yn 1553, bu farw Edward VI yn 15 mlwydd oed.

A Darlun o Edward VI a'r Pab (tua 1548)

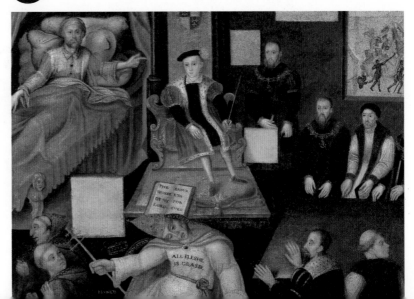

Mari, ei hanner chwaer 37 mlwydd oed, oedd y frenhines nawr. Roedd hi'n ferch i Catrin o Aragon, gwraig gyntaf Harri VIII, ac yn Babydd selog. Cafodd Northumberland ei ddienyddio a dyna ddiwedd ar y newidiadau Protestannaidd am y tro.

Doedd y Frenhines Mari ddim yn cytuno â diwygiadau ei thad i'r Eglwys ond roedd hi'n casáu newidiadau Protestannaidd ei brawd. Roedd hi'n benderfynol o adfer yr Eglwys Babyddol. Gwnaeth Mari y Pab yn Bennaeth yr Eglwys unwaith eto. Cafodd y Llyfr Gweddi Newydd ei wahardd. Newidiwyd gwasanaethau'r eglwys eto, y tro hwn o Saesneg i Ladin. Bu'n rhaid i offeiriaid wahanu oddi wrth eu gwragedd, a thaflwyd y rhai oedd yn gwrthod allan o'r Eglwys. Credai Mari fod pobl oedd yn Brotestaniaid yn pechu. Er mwyn achub eu heneidiau, credai fod rhaid eu hannog i fod yn Babyddion unwaith eto, trwy ddefnyddio grym os byddai raid. Cafodd llawer o'r rhai a wrthododd eu **dienyddio** trwy gael eu llosgi wrth y stanc.

Llosgwyd tri o bobl yng Nghymru: Robert Ferrar, Esgob Tyddewi, yng Nghaerfyrddin; Rawlins White, pysgotwr, yng Nghaerdydd ac yn Hwlffordd llosgwyd William Nichol, llafurwr.

Erbyn adeg ei marw yn 1558 roedd Mari Waedlyd yn amhoblogaidd iawn. Roedd hi wedi gobeithio y byddai llosgi **hereticiaid** yn gyhoeddus yn perswadio pobl i droi yn erbyn y ffydd Brotestannaidd; ond wnaeth e' ddim. Doedd y bobl ddim o blaid ei phriodas â Philip II, Brenin Sbaen, a oedd yn Babydd. Bu gwrthryfel o dan arweiniad Syr Thomas Wyatt a oedd yn Brotestant. Ond methiant fu'r gwrthryfel hwnnw.

… anfonodd … at ei wraig i ofyn iddi … anfon ato ei ddillad priodas, sef crys, yn yr hwn y cafodd ei losgi yn ddiweddarach … Felly y bu farw yr hen ŵr duwiol hwn, Rawlins [White] dros … wirionedd Duw.

 John Foxe: *Book of Martyrs* (1563). Rhywun sy'n marw dros yr hyn mae'n ei gredu yw merthyr *(martyr)*

F Dienyddio Thomas Cranmer, Archesgob Protestannaidd Caer-gaint

Nyni droesom gan ffydd Sayson,
Ni ddaw ein calonnau ni byth yn eu lle
Fe aeth dy demlau yma a thraw
Oll yn llaw y lleygion;
A'th eglwysi ymhob lle
Yn gornelau gweigion …
Briwio'r allorau mawr eu braint …
Wedi ysbeilio Duw a'i dŷ …

 Cerdd gan Tomas ab Ieuan ap Rhys (heb ddyddiad)

1 Darllenwch y paragraff cyntaf ac edrychwch ar ffynhonnell A. Atebwch y cwestiynau canlynol:
   a) Pwy yw'r dyn sydd yn y gwely?
   b) Pa un yw'r Brenin Edward?
   c) Pwy sy'n cael ei wasgu gan gopi o'r Beibl Saesneg ar waelod y darlun?
   d) Ai Protestant neu Babydd beintiodd y darlun hwn? Eglurwch eich ateb.

2 Rhestrwch bob newid mewn crefydd y gallwch ddod o hyd iddo yn y bennod hon.

3 Darllenwch y testun a ffynhonnell C.
   a) Faint o Brotestaniaid gafodd eu llosgi
      i) yng Nghymru;   ii) yn Lloegr?
   b) Cymharwch y ffigurau. Beth maen nhw'n ei ddweud wrthym am ledaeniad a phoblogrwydd y ffydd Brotestannaidd yn nheyrnas Mari?

4 Darllenwch ac edrychwch ar ffynonellau C i G.
   a) Rhestrwch y ffynonellau gafodd eu hysgrifennu neu eu darlunio
      i) gan Brotestaniaid   ii) gan Babyddion
      Sut wnaethoch chi benderfynu?
   b) Pa dystiolaeth yn y ffynonellau hyn sy'n dangos pa mor greulon y cafodd y Protestaniaid eu trin gan y Pabyddion yn ystod teyrnasiad Mari?
   c) Pa ffynonellau sy'n dangos efallai nad oedd y ffydd Brotestannaidd yn boblogaidd yng Nghymru? Eglurwch eich ateb.

6

Elisabeth a'r Eglwys Brotestannaidd

A Barn Elisabeth ar grefydd (tua 1559)

B Dewis Elisabeth

1. Dilyn esiampl ei thad a sefydlu Eglwys Babyddol i Gymru a Lloegr a hithau, yn hytrach na'r Pab, yn ben.
2. Dilyn ei brawd a chael Eglwys hollol Brotestannaidd.
3. Parhau ag Eglwys Babyddol ei chwaer.
4. Sefydlu Eglwys newydd a fyddai'n plesio'r Pabyddion a'r Protestaniaid trwy gyfuno rhannau o'r ddau draddodiad.

Yn 1558 daeth Elisabeth, plentyn olaf Harri VIII, yn frenhines Cymru a Lloegr. Roedd llawer o broblemau yn ei hwynebu. Y mwyaf difrifol ohonynt oedd crefydd.

Protestant oedd Elisabeth ond roedd hi'n gwybod doedd hynny ddim yn wir am lawer o'r bobl. Roedd rhai yn Babyddion a rhai yn Brotestaniaid. Yn Ffrainc roedd y Pabyddion a'r Protestaniaid yn casáu ei gilydd cymaint nes iddi fynd yn rhyfel cartref gwaedlyd yno. Doedd Elisabeth ddim eisiau i hyn ddigwydd yn ei theyrnas hi.

Roedd Elisabeth yn sylweddoli bod y bobl yn rhanedig ac wedi blino ar yr holl newid yn y ffordd roeddent yn addoli. Beth oedd hi'n mynd i'w wneud? Roedd ganddi bedwar dewis (ffynhonnell B).

Dewisodd Elisabeth y pedwerydd opsiwn, sef sefydlu Eglwys newydd. Gwyddai na fyddai'n hawdd perswadio'r Pabyddion i'w derbyn. Gyda help ei phrif weinidog, Syr William Cecil, a chefnogaeth y Senedd, sefydlodd Elisabeth yr Eglwys newydd.

Pasiodd y Senedd y Ddeddf Goruchafiaeth a oedd yn ei gwneud yn 'Ben Goruchaf yr Eglwys'. Roedd Elisabeth wedi dewis teitl clyfar. Gallai Pabyddion, os oedden nhw'n dymuno, gredu mai'r Pab oedd arweinydd yr Eglwys o hyd. Cafwyd Llyfr Gweddi newydd, yn seiliedig ar y llyfr gweddi Protestannaidd a ddefnyddiwyd yn ystod teyrnasiad ei brawd Edward. Byddai pob gweddi a gwasanaeth yn Saesneg. Ac roedd offeiriaid yn cael priodi unwaith eto.

Roedd yr Eglwys a sefydlodd Elisabeth yn fwy Protestannaidd na Phabyddol. Roedd y rhan fwyaf o bobl yn fodlon ond nid pawb. Doedd rhai Pabyddion ddim yn fodlon derbyn yr Eglwys newydd. Roedden nhw eisiau i Mari, Brenhines y Scotiaid, cyfnither

C Darlun a archebwyd gan Elisabeth (tua 1560). Mae'n llawn o ystyr symbolaidd

Elisabeth, reoli. Yn 1569 roedd gwrthryfel yng ngogledd Lloegr. Llwyddodd Elisabeth i drechu'r gwrthryfelwyr.

Ond dal ati i gynllwynio yn erbyn Elisabeth wnaeth y Pabyddion. Cawson nhw gefnogaeth y Pab a ysgymunodd Elisabeth yn 1570. Gorchmynnodd i'r bobl gefnogi Mari yn lle ufuddhau i Elisabeth. Anfonodd y Pab gannoedd o offeiriaid oedd wedi eu hyfforddi'n arbennig i berswadio'r bobl i fod yn Babyddion. Roedd 64 o'r offeiriaid yn Gymry. Roedd y frenhines yn teimlo dan fygythiad.

Roedd Elisabeth yn meddwl y gallai ddibynnu ar y Protestaniaid. Ond er bod y rhan fwyaf yn ei chefnogi, credai rhai fod Elisabeth yn fradwr. Yr enw arnynt oedd y **Piwritaniaid**, sef pobl oedd am buro'r Eglwys newydd. Doedd newidiadau Elisabeth ddim yn ddigon Protestannaidd iddyn nhw. Doedden nhw ddim yn cytuno gyda chael esgobion. Roedden nhw eisiau mwy o bregethu a gweddïau gwahanol.

Roedd y Piwritaniaid yn casáu'r Pabyddion ac yn flin gyda'r frenhines am fod mor oddefgar gyda nhw. Roedden nhw eisiau i'r Pabyddion gael eu herlid. Ond wnâi Elisabeth ddim. Yna penderfynodd Elisabeth wneud rhywbeth. Yn 1581 pasiwyd deddf newydd yn y Senedd. Byddai unrhyw un nad oedd yn mynd i'r eglwys yn cael dirwy o £20. Os oedd unrhyw un yn methu talu, roedd yn gorfod mynd i'r carchar. Roedd perygl i'r rhai oedd yn erbyn y frenhines gael eu cyhuddo o frad ac efallai eu dienyddio.

Cafodd rhai offeiriaid Pabyddol eu dienyddio, yn ogystal â rhai Piwritaniaid. Y Pabydd cyntaf i'w ddienyddio yng Nghymru oedd Richard Gwyn, athro ysgol o Lanidloes. Cafodd ei ddienyddio yn Wrecsam yn 1584 am ledaenu syniadau Pabyddol. Cymro oedd un o'r Piwritaniaid enwocaf i gael ei ddienyddio, sef John Penry. Roedd ef wedi bod ym Mhrifysgolion Rhydychen a Chaer-grawnt, lle dechreuodd ei ddiddordeb mewn crefydd. Beirniadodd Elisabeth a'i llywodraeth am anwybyddu'r prinder pregethwyr yng Nghymru. Yn 1593 fe'i cafwyd yn euog o ledaenu syniadau Piwritanaidd a'i ddienyddio yn Llundain yn 30 oed.

D Prif weinidog Elisabeth, Syr William Cecil, Arglwydd Burghley (tua'r 1580au)

Teyrnasiad		Dienyddiwyd
1485-1509	Harri VII	24
1509-1547	Harri VIII	81
1547-1553	Edward VI	2
1553-1558	Mari I	284
1558-1603	Elisabeth I	5

E Nifer y bobl a ddienyddiwyd oherwydd heresi yng Nghymru a Lloegr, 1485-1603

1 Darllenwch ffynhonnell A.
  a) Ailysgrifennwch yr hyn ddywedodd Elisabeth yn eich geiriau eich hun.
  b) Pam, yn eich barn chi, fyddai'r Protestaniaid a'r Pabyddion wedi bod yn hapus i glywed y geiriau hyn?

2 Darllenwch y testun ac ateb y cwestiynau a'r tasgau isod mewn brawddegau:
  a) Pwy oedd y Piwritaniaid?
  b) Pam roedden nhw'n broblem i Elisabeth?
  c) Rhestrwch y rhesymau pam doedd Elisabeth ddim yn trystio'r Pabyddion.
  d) Ysgrifennwch ddau debygrwydd rhwng y Pabyddion a'r Piwritaniaid.

3 Darllenwch ffynhonnell E.
  a) Faint o bobl gafodd eu dienyddio gan y Tuduriaid oherwydd heresi?
  b) Pwy ddioddefodd waethaf: y Protestaniaid neu'r Pabyddion?
  c) Ym mha ffordd mae'r ffynhonnell hon yn cefnogi geiriau Elisabeth yn ffynhonnell A? Eglurwch eich ateb.

4 Yn eich barn chi, pwy oedd y bygythiad mwyaf i Elisabeth: y Piwritaniaid neu'r Pabyddion? Rhowch resymau dros eich ateb.

Stamp 18c (1988)

William Morgan. Cyfieithydd y Beibl Cymraeg cyntaf 1588.
Translator of the first complete Bible into the Welsh language 1588.

Deddfir, felly i Esgobion Henffordd, Tyddewi, Llanelwy, Bangor a Llandaf ... sicrhau bod y Beibl cyfan, ... a ddefnyddir yn awr yn y deyrnas yn Saesneg, i'w gyfieithu yn gywir ac yn union i'r iaith Gymraeg.

B   Deddf Cyfieithu'r Beibl (1563)

Oblegid, er y byddai yn dra dymunol i drigolion yr un ynys fod o'r un iaith ac ymadrodd ... nid oes amheuaeth nad yw tebygrwydd ac unffurfiaeth mewn crefydd yn gryfach i gynhyrchu undeb na thebygrwydd ac unffurfiaeth mewn ymadrodd.

C   Tudalen cyntaf Beibl William Morgan (1588)

... [ac ers tair blynedd] yr ydym wedi cael goleuni'r efengyl, ie y Beibl cyfan, yn ein hiaith frodorol, a fydd mewn byr amser yn gwneud daioni mawr yng nghalonnau'r bobl ...

D   *Dialogue of the Government of Wales* gan George Owen, awdur a bonheddwr o sir Benfro

Cyfieithu'r Beibl

Yn 1536 cafodd Sais o'r enw William Tyndale ei ddienyddio gan y Brenin Harri VIII. Ei drosedd oedd oedd cyfieithu'r Beibl i'r Saesneg. Yn 1588 cafodd Cymro o'r enw William Morgan ei anrhydeddu gan y Frenhines Elisabeth I. Ei gamp oedd cyfieithu'r Beibl i'r Gymraeg. Mae William Morgan yn arwr i'r Cymry, ond does neb llawer â diddordeb yn Tyndale. Roedd gwahaniaeth mawr rhwng y ffordd y cafodd y ddau eu trin ar y pryd. Pam?

Roedd ar Harri'r Pabydd ofn newid, doedd gan Elisabeth y Protestant ddim. Yn amser Tyndale roedd hi'n beryglus i fod yn wahanol. Roedd ef yn cefnogi syniadau Protestannaidd Martin Luther. Credai'r Protestaniaid ei bod yn bwysig cyfieithu'r Beibl o'r Lladin i iaith roedd y bobl yn ei deall. Trwy ddeall beth roedd yn cael ei ddarllen yn yr eglwys, gallai'r bobl deimlo'n agosach at Dduw. Roedd Protestaniaid fel Luther a Tyndale eisiau rhoi addysg i'r bobl fel eu bod nhw'n gallu darllen y Beibl eu hunain.

Roedd yr Eglwys Babyddol yn erbyn hyn. Gwaith yr offeiriad oedd egluro'r Beibl, medden nhw. Yn yr Offeren roedd yr offeiriad yn arwain y bobl mewn gweddi ac yn eu dysgu am Dduw. Gan mai dim ond yr offeiriad oedd yn deall Lladin, fyddai yna ddim gwasanaeth crefyddol hebddo. Roedd hyn yn gwneud yr offeiriad a'r Eglwys yn bwysig. Nhw oedd arfer rheoli'r bobl ond ar ôl 1534 y brenin, Harri VIII, oedd yn rheoli'r Eglwys. Roedd hyn yn ei wneud yn bwerus iawn. Ond roedd syniadau Tyndale yn fygythiad i'r brenin, felly cafodd ei alltudio ac yn ddiweddarach fe'i dienyddiwyd.

E   Llosgi William Tyndale yn Fflandrys (1536). 'Arglwydd agor lygaid brenin Lloegr' oedd ei eiriau olaf

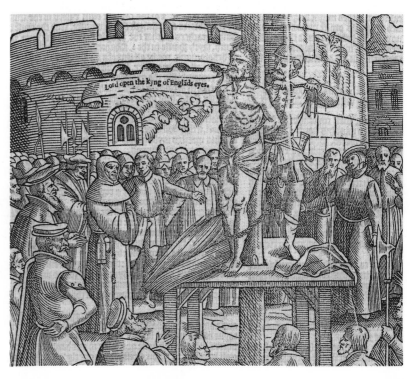

Pan oedd Edward yn frenin, roedd pethau'n wahanol. Yn 1547 gorchmynnodd roi copi Saesneg o'r Beibl ym mhob eglwys. Roedd i gael ei ddarllen yn uchel bob Sul. Daeth y Beibl Saesneg mor boblogaidd fel na feiddiai Mari, chwaer Edward, gael gwared ag ef pan ddaeth hi'n frenhines yn 1553, er ei bod yn Babydd.

Doedd y Beibl Saesneg ddim yn boblogaidd yng Nghymru. Cymraeg oedd iaith y bobl. Doedden nhw ddim yn deall Lladin na Saesneg. Ychydig iawn oedd wedi clywed am Luther na Tyndale. Roedd llai fyth yn deall beth oedd y rhesymau dros y newidiadau.

Roedd hyn yn poeni Elisabeth. Roedd hi'n sylweddoli efallai na fyddai'r Cymry'n derbyn ei Heglwys newydd. Gallai hyn fod yn beryglus. Yn adeg y Tuduriaid, roedd unrhyw un â chrefydd wahanol i'r brenin neu'r frenhines yn cael ei weld fel bygythiad posib.

Yn 1563 pasiodd y Senedd Ddeddf Cyfieithu'r **Ysgrythurau** i'r Gymraeg. Rhoddodd Elisabeth y gwaith o gynhyrchu Beibl Cymraeg mewn pum mlynedd i ddau ysgolhaig, sef Richard Davies, Esgob Tyddewi, a William Salesbury. Roedd hon yn dasg enfawr. Yn 1567 cyhoeddwyd y Testament Newydd am y tro cyntaf yn Gymraeg. Ond bu ffrae rhwng Davies a Salesbury cyn gorffen y Beibl cyfan.

Yn ystod y 1570au dechreuodd William Morgan, clerigwr ifanc ac ysgolhaig, gyfieithu'r Hen Destament. Roedd ef yn ficer prysur mewn plwyf tlawd, felly roedd yn gwneud y rhan fwyaf o'r gwaith yn ei amser sbâr. Roedd y gwaith o gyfieithu yn araf ac yn galed ac fe gymerodd bron 20 mlynedd i'w orffen.

Yn 1588 roedd y Beibl yn barod. Gyda help John Whitgift, Archesgob Caer-gaint, argraffwyd y Beibl yn Llundain. Gorchmynnodd Elisabeth y dylid rhoi Beibl Cymraeg ym mhob eglwys yng Nghymru. Roedd pob gwasanaeth a gweddi yng Nghymru i fod yn Gymraeg. Gobeithiai Elisabeth y byddai'r bobl yn dod yn Brotestaniaid ffyddlon iddi ac fe weithiodd ei chynllun.

F Tudalen deitl Testament Newydd William Tyndale (1534) - copi Anne Boleyn oedd hwn

G Tudalen deitl y Beibl Cymraeg cyntaf (1588)

1 a) **Lluniwch linell amser ar gyfer y blynyddoedd 1530 i 1590. Defnyddiwch 2 cm i bob degawd.**

  b) **Ar eich llinell amser, nodwch bob dyddiad a digwyddiad y sonnir amdanynt yn y testun.**

  c) **Pa ddyddiad a digwyddiad oedd y pwysicaf, yn eich barn chi, yn hanes cyfieithu'r Beibl i'r Gymraeg? Eglurwch eich dewis.**

2 **Darllenwch y ffynonellau. Pa ffynhonnell sy'n:**

  a) **Dangos bod William Morgan yn cael ei gofio hyd heddiw?**

  b) **Awgrymu bod cyfieithu'r Beibl wedi ei groesawu yng Nghymru? Eglurwch eich ateb ym mhob achos.**

3 a) **Beth oedd ystyr geiriau olaf William Tyndale yn ffynhonnell E?**

b) **Pa ddau gliw yn ffynhonnell G sy'n dangos bod y Beibl wedi ei argraffu gyda chaniatâd y frenhines?**

c) **Edrychwch ar fap o Gymru a Lloegr ac yna darllenwch ffynhonnell B.**

  i) **Ym mha siroedd y mae Bangor, Llanelwy, Tyddewi a Llandaf heddiw?**

  ii) **Chwiliwch am Henffordd. Beth sy'n anarferol yng ngorchymyn y frenhines i Esgob Henffordd? Sut fyddech chi'n ei egluro?**

d) **Yn eich geiriau eich hunan, eglurwch beth roedd William Morgan yn ei ddweud yn ffynhonnell C.**

e) **Pryd, yn eich barn chi, ysgrifennodd George Owen y geiriau yn ffynhonnell D? Pam?**

7 ϒ tlawd a'r cyfoethog

A Gwyddai pobl pwy oeddent a ble roeddent mewn bywyd

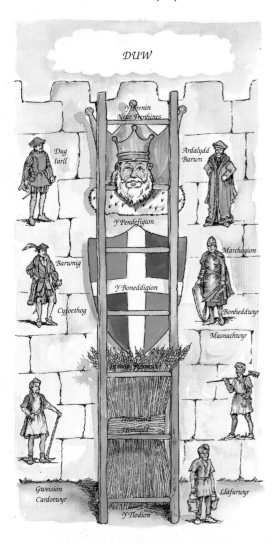

Ar ôl y brenin a'r teulu brenhinol, y pendefigion oedd y bobl mwyaf pwerus yn y deyrnas. Tirfeddianwyr cyfoethog oeddent gyda theitlau fel barwn, iarll, ardalydd a dug. Roedd y pendefigion a oedd yn mynd i lys y brenin yn aml yn cael eu galw yn wŷr y llys. Byddent yn ymuno â'r teulu brenhinol i wledda, dawnsio, hela ac mewn digwyddiadau pwysig eraill.

O dan y pendefigion roedd y gwŷr bonedd. Roedd gan y pwysicaf ohonynt deitlau fel marchog a barwnig. Byddai'r rhai mwyaf pwerus yn mynychu'r llys brenhinol hyd yn oed. Fel y pendefigion, roeddent yn berchen eu tir ac yn byw mewn tai mawr. Doedden nhw ddim yn gweithio i ennill bywoliaeth, ond yn cyflogi eraill i weithio iddynt. Dôi eu hincwm o ffermio'r tir oedd ganddynt.

Byddai'r ddau grŵp yn gwasanaethu'r brenin neu'r frenhines mewn cyfnodau o heddwch a rhyfel. Roeddent yn arwain y fyddin a'r llynges ac yn helpu i lywodraethu. Dewiswyd y pendefigion a'r gwŷr bonedd mwyaf pwerus i gynghori'r brenin. Daethant yn gynghorwyr gan eistedd yn y Cyfrin (preifat) Gyngor.

Roedd mynychu'r llys a gwasanaethu'r brenin neu'r frenhines mewn swyddi pwysig yn ddrud. Roedd nifer o bendefigion a gwŷr bonedd yn aros gartref i warchod eu stadau. Roedd eraill yn helpu i reoli'r siroedd. Daethant yn ynadon heddwch a siryfion. Roeddent yn helpu i gadw cyfraith a threfn.

> *Nid oes neb yn y byd mor chwilfrydig [o ffasiynau newydd] â'r [Saeson]. Felly mae'n anodd iawn gwybod pwy sy'n bendefig, pwy sy'n fonheddwr a phwy sydd ddim. Mae'r sawl [nad] yw'n bendefig neu'n fonheddwr yn gwisgo sidan, melfed, satin a deunyddiau tebyg, gan achosi cryn ddryswch.*

B Philip Stubbes, yswain: *The Anatomie of Abuses* (1583)

> *Yn gyntaf, rhaid iddo fod yn hynaws [dymunol] a chwrtais yn ei lefaru a'i ymddygiad. Yn ail, rhaid iddo fod â chalon anturus i ymladd … Yn drydydd, rhaid iddo feddu ar drugaredd i faddau beiau ei gyfeillion a'i weision. Yn bedwerydd, rhaid iddo ymestyn ei bwrs i roi'n rhydd i filwyr ac i'r sawl sydd mewn angen; oherwydd ni haedda cybydd ei alw'n fonheddwr. Dyma briodweddau bonheddwr, ac mae'r sawl sy'n brin ohonynt yn haeddu … teitl clown neu ynfytyn.*

C (dde) Disgrifiad Syr William Vaughan o Langynderyn o fonheddwr yr ail ganrif ar bymtheg, yn ei lyfr *The Golden Grove* (1608)

Roedd Syr Richard Bulkeley o Fiwmares, marchog … yn berson rhinweddol o bryd golau a thal o gorff … Roedd yn gymedrol yn ei ddiet, heb ddefnyddio baco nac yfed … Ni newidiodd ei ffasiynau erioed ond gwsigai lodrau crwn a chrysbais bwmbas drom bob amser … Pan ofynnwyd iddo pam nad oedd wedi dilyn y ffasiwn, ei ateb oedd bod pobl yn cael cymaint o amrywiaeth a newid fel y byddent unwaith bob saith mlynedd yn dychwelyd i'w ffasiwn ef … Nid oedd yn ysgolhaig mawr, ond yn ddarllenwr hanes brwd … [Roedd] yn hyddysg mewn materion yn ymwneud â chadw tŷ, hwsmonaeth, materion morwrol, ac adeiladu llongau a'u cynnal ar y môr. Roedd yn hynod yn ei falchder ei fod bob amser yn llunio ei lythyrau ei hun a'i fod yn ateb pob llythyr gyda'i law ei hun … Roedd ei stad yn sir Fôn yn werth £2,500 y flwyddyn, £800 yn sir Gaernarfon a £100 yn sir Gaer, ac roedd stoc enfawr o arian parod bob amser yn gorwedd yn ei gist … Cadwai nifer o weision [ac] ni fyddai'n gadael ei gartref heb 20 neu 24 i'w wasanaethu. Roedd yn ffefryn gan y Frenhines Elisabeth. Roedd ganddo gyfeillion pwerus yn y Llys, a bonedd a gwerin ei sir yn ei wasanaeth.

D William Williams, bonheddwr, hanesydd o sir Fôn: *History of the Bulkeley Family* (1674)

Ers amser Harri VII a Harri VIII … mae boneddigion Cymru … wedi eu magu … ym mhrifysgolion Rhydychen a Chaer-grawnt … lle mae rhai'n dangos eu bod yn wŷr dysgedig. Mae'r bobl yn dod yn gefnog iawn … rhai … yn derbyn £500 y flwyddyn, eraill £300, a nifer £100.

E George Owen, yswain: *The Dialogue of the Government of Wales* (1594)

F Portread o Syr Walter Raleigh a'i fab, wedi'u gwisgo yn y ffasiynau diweddaraf (1602)

1 Darllenwch y testun a'r ffynonellau. Rhestrwch:
   a) bethau sy'n debyg b) bethau sy'n wahanol - rhwng y pendefigion a'r bonedd.
   c) Gan ddefnyddio'r wybodaeth yn ffynhonnell A i'ch helpu, rhestrwch awduron ffynonellau B, C, D ac E yn nhrefn eu statws.

2 Darllenwch ffynonellau B, C, D ac E. Sut mae ffynhonnell D yn:
   a) cytuno   b) anghytuno
   gyda'r ffynonellau eraill. Gwnewch restr ym mhob achos.

3 Darllenwch ffynhonnell D.
   a) Pa mor ddibynadwy yw ffynhonnell D fel gwybodaeth am fonheddwyr oes Elisabeth? Eglurwch eich ateb.
   b) Mae'r frenhines yn ystyried penodi Syr Richard Bulkeley yn aelod o'i Chyfrin Gyngor ac wedi gofyn i chi ei chynghori ar y mater. Lluniwch broffil (amlinelliad) o'r gŵr yn cynnwys ei enw, statws, cyfeiriad, disgrifiad corfforol, addysg, arferion, diddordebau, sgiliau, galwedigaeth, cyfanswm incwm blynyddol, ac ati. Gallwch gynnwys gwybodaeth ychwanegol os dymunwch.

Portread o Syr John Perrot (Heb ddyddiad, ond efallai 1583)

Syr John Perrot, bonheddwr Tuduraidd (1528-92)

Ychydig iawn o bendefigion oedd yng Nghymru yng nghyfnod y Tuduriaid. Ar wahân i William Herbert, Iarll Penfro, Saeson a dreuliai ychydig iawn o amser yng Nghymru oedd ieirll Essex, Caerlŷr a Chaerwrangon. Yn aml, byddent yn cyflogi eraill i redeg eu stadau Cymreig iddynt.

Y grŵp mwyaf o ddigon o dirfeddianwyr yn y wlad o dan y pendefigion oedd y boneddigion. Roedd y rhan fwyaf ohonyn nhw'n Gymry ac roedden nhw'n byw ar eu stadau. Un o'r rhai mwyaf cyfoethog a phwerus oedd Syr John Perrot.

Roedd teulu Perrot wedi byw yn sir Benfro am bron 250 o flynyddoedd. Ganed ef yn 1528 yng nghartref y teulu yn Haroldston ger Hwlffordd. Cafodd ei addysg yn ysgol ramadeg y Gadeirlan yn Nhyddewi. Ysgol Brotestannaidd ydoedd ac felly roedd wedi dysgu am y ffydd newydd. Ei bynciau gorau yn yr ysgol oedd ieithoedd; gallai siarad Ffrangeg, Sbaeneg ac Eidaleg. Gallai hefyd ddarllen ac ysgrifennu Lladin.

Yn 1546 pan oedd yn 18 oed, gadawodd Perrot ei gartref am Lundain. Yno dechreuodd dair blynedd o **brentisiaeth** yng nghartref Ardalydd Caer-wynt, Arglwydd Ganghellor Lloegr. Roedd hyn yn anrhydedd mawr i Perrot. Yno gallai ddysgu sut i fod yn fonheddwr.

Ond, oherwydd ei dymer wyllt, dysgodd sut i ymladd hefyd. Ar un achlysur, cwerylodd Perrot â'i gyd-brentisiwr, Henry Neville, sef Arglwydd y Fenni. Cyn y gellid eu gwahanu, roedden nhw wedi torri 'gwydrau ... o gwmpas clustiau ei gilydd [fel bod] gwaed wedi'i daenellu ... dros y siambr'. Daeth Perrot yn aelod poblogaidd o

C Castell Caeriw, hoff gartref Syr John Perrot. Ef hefyd oedd perchennog Castell Lacharn ac o leiaf ddeg o faenordai eraill yn ne Cymru

Hwylus ŵr, heliais (gwariais) arian,
Llwyra' modd, yn llawer man.
Mynd i Lundain gain a gwych,
Yn hoyw oedran i'w hedrych.
Taro wrth gwmpni (gwmni) tirion,
Draw fu hawdd yn y dref hon.
Mynd i'r disiau'n frau, iawn fro,
Trwy oglais, dechrau treiglo (crwydro).
A gwedi'r draul (gwario) gado'r (gadael y) dref,
Yn odrist (drist iawn) mi ddown adref.

B Roedd Tomos Prys yn fonheddwr ifanc arall o Gymru gafodd ei hudo yn Llundain. Ysgrifennodd gerdd yn disgrifio ei brofiadau (tua'r 1590au)

gymdeithas Llundain. Cyn hir, cafodd ei gyflwyno i'r Brenin Edward ifanc a'i urddo'n farchog ganddo ychydig ddyddiau wedi ei ben blwydd yn 21 oed.

Yn anffodus i Perrot, mae'n debyg iddo gael ei ddallu'n hawdd gan oleuadau llachar Llundain. Ceisiodd gadw i fyny gyda'i gyfeillion mwy cefnog, ond cyn hir roedd mewn dyled. Mewn llythyr at ei fam, ysgrifennodd am ei wario diofal ar 'y tilt (ymladd twrnamaint) a theganau eraill y mae cywilydd arnaf sôn amdanynt'.

Roedd Perrot hefyd yn mwynhau bywyd fel milwr. Yn ystod teyrnasiad Mari, ymladdodd yn erbyn y Ffrancwyr ac yn nheyrnasiad Elisabeth, ymladdodd yn erbyn y Gwyddelod gwrthryfelgar. Yma, profodd ei fod yn gallu bod yn ddiofal yn ogystal â dewr. Mewn ymgais i fathru gwrthryfel yr Arglwydd James Fitzmaurice o Iwerddon, tyngodd Perrot y byddai'n 'hela'r llwynog allan o'i wâl'. Wedi iddo gael ei hudo i drap, sylweddolodd fod deuddeg yn ei erbyn a neb o'i blaid, ond gwrthododd ildio! Yn ffodus, cyrhaeddodd ei wŷr meirch mewn pryd i'w achub.

Treuliodd Perrot hefyd beth amser fel capten llong. Cafodd y dasg o amddiffyn y moroedd o gwmpas Cymru ac Iwerddon rhag y Sbaenwyr. Fel Is-lyngesydd de Cymru, roedd disgwyl iddo ddelio gyda'r môr-ladron oedd yn gweithredu yno. Cafodd ei gyhuddo unwaith o fod yn fôr-leidr ei hunan.

Cymerai Perrot ei rôl fel bonheddwr o ddifrif. Gwyddai fod ganddo gyfrifoldebau penodol fel helpu i weinyddu ei sir. Daeth yn siryf sir Benfro yn 1551 ac yn brif Ynad Heddwch yn 1562. Bu'n faer tref Hwlffordd dair gwaith a chynrychiolodd bobl sir Benfro yn y Senedd.

Yn 1583 apwyntiodd y Frenhines ef yn Arglwydd Ddirprwy Iwerddon. Roedd Iwerddon yn wlad anodd a pheryglus i'w rheoli. Ond roedd Perrot yn adnabod y Gwyddelod ac wedi bod yn Arglwydd Lywydd Munster am dair blynedd yn ystod y 1570au. Am bedair blynedd, gweithiodd Perrot yn galed i lywodraethu'r Gwyddelod Pabyddol yn deg. Llwyddodd i wneud hynny.

Cafodd ei wobr pan apwyntiodd y Frenhines ef i'r Cyfrin Gyngor. Ond, roedd eraill yn genfigennus o'i lwyddiant. Cafodd ei gyhuddo o frad, ac ar ôl ei gael yn euog, fe'i dedfrydwyd i farwolaeth. Bu farw yn garcharor yn Nhŵr Llundain cyn i'r ddedfryd gael ei chyflawni.

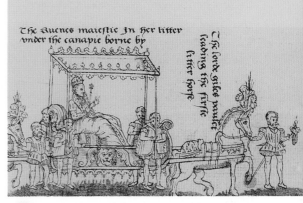

D Dewiswyd Perrot gan y Frenhines Elisabeth yn un o bedwar bonheddwr i gario ei chanopi swyddogol i'w Choroni yn 1559

E Portread o Dorothy Perrot (tua'r 1590au). Yn 18 oed, rhedodd i ffwrdd gyda Thomas, mab Syr John ac fe'i priododd yn 1583. Roedd hi'n ferch i Walter Devereaux, Iarll Essex

---

1 a) Drwy deyrnasiad faint o frenhinoedd a breninesau y bu Syr John Perrot fyw? Rhestrwch hwy gyda dyddiadau eu teyrnasiad.

   b) Ceisiwch ddarganfod a rhestru un digwyddiad pwysig ym mywyd Perrot a ddigwyddodd yn ystod teyrnasiad pob brenin/brenhines.

2 Astudiwch y portread o Syr John Perrot (ffynhonnell A).

a) Pa wybodaeth am Syr John Perrot allwch ei chanfod o'r darlun?

b) Pa bethau nad yw'r portread yn eu datgelu amdano?

3 Rydych wedi ysgrifennu cofiant (stori bywyd) Syr John Perrot. Cynlluniwch siaced lwch i'r llyfr gan gofio cynnwys y canlynol:
y teitl;
darlun;
crynodeb byr o'i gynnwys.

A William Harrison: *A Description of England* (1577)

B *(isod)* Portread o Fasnachwr o Lundain (1532)

Trefi a masnachwyr

Roedd llai o drefi yng nghyfnod y Tuduriaid a'r **Stiwartiaid** na heddiw, ac roedden nhw'n llai o ran maint. Fel rheol roedden nhw'n orlawn o adeiladau, gyda strydoedd hir a chul a dim llawer o le agored. Roedd y lle mwyaf gan amlaf wedi ei neilltuo ar gyfer ffeiriau a'r marchnadoedd oedd yn cael eu cynnal ddwywaith yr wythnos. Erbyn cyfnod y Tuduriaid roedd crefftwyr wedi sefydlu siopau parhaol i werthu eu nwyddau i gyflenwi anghenion dyddiol y trigolion **trefol**.

Roedd nifer o drefi ynghlwm wrth gestyll ac wedi'u hamgylchynu a'u hamddiffyn gan furiau uchel. Roedd hyn yn arbennig o wir yng Nghymru lle roedd y rhan fwyaf o'r trefi wedi eu hadeiladu gan y Saeson. Eu pwrpas oedd cadw'r Cymry allan. Yn ystod yr Oesoedd Canol caniatawyd i'r Cymry fynd i'r dref i fasnachu yn ystod y dydd ond doedden nhw ddim yn cael byw yno. Roedd rhaid iddyn nhw adael gyda'r nos neu wynebu cael eu restio. Erbyn yr unfed ganrif ar bymtheg roedd hyn wedi newid. Daeth trefi fel Caernarfon, Harlech a Chonwy, a fu unwaith yn Seisnig, bron yn hollol Gymreig.

Roedd trefi yn bwysig am eu bod yn ganolfannau masnach. Byddai trigolion cefn gwlad yn mynd i ffeiriau a marchnadoedd y trefi yn rheolaidd er mwyn prynu a gwerthu. Roedd rhai yn bwysig fel canolfannau dysg a syniadau newydd. Roedd trefi mwy fel Caerfyrddin, Aberhonddu, Bangor, Rhuthun a'r Fenni wedi sefydlu ysgolion gramadeg yn ystod teyrnasiad Elisabeth.

Roedd y rhan fwyaf o bobl oedd yn byw yn y trefi yn **fwrdeiswyr**. Roedd hyn yn golygu eu bod yn aelodau o gymuned fasnachol y dref, ac roedd hynny yn rhoi rhai hawliau a breintiau penodol iddynt. Yn

C *(isod)* Ail-luniad gan arlunydd modern o dref a chastell Cydweli yn y bymthegfed ganrif. Erbyn 1550 roedd poblogaeth y dref wedi cynyddu o 300 i 1,200

yr Oesoedd Canol roedden nhw wedi ffurfio **urddau** i warchod eu masnach neu eu crefft. Roedd yr urddau hyn yn para i fodoli yng nghyfnod y Tuduriaid ond doedden nhw ddim mor bwysig. Ar ôl 1563, ynadon heddwch lleol, yn hytrach na'r urddau, oedd yn pennu cyflogau ac yn gosod rheolau gwasanaeth ar gyfer prentisiaid. Erbyn 1700, roedd yr urddau yn dirywio ac mewn 50 yn unig o drefi Prydain yr oeddent yn bodoli.

Prentisiaeth oedd y ffordd orau o hyd i ddynion ifanc uchelgeisiol ddysgu crefft. Yn ystod teyrnasiad Elisabeth, roedd prentisiaeth yn para saith mlynedd. Roedd yr oriau yn hir, y cyflog yn wael ac yn aml iawn, doedd ganddyn nhw ddim lle ond y siop i gysgu ynddo. Ond roedd bod yn brentis yn boblogaidd iawn. Rhwng 1532 a 1543, roedd 1,202 o brentisiaid ym Mryste: 400 ohonynt yn wŷr lleol, 528 o rannau eraill o Loegr, 100 o Iwerddon ac 174 o Gymry. Roedd y trefi yn aml yn afiach a pheryglus, gyda llawer o droseddu a meddwi.

E Darnau o ffeiliau Llys Ynadon yn Essex (1588-99)

D Darlun o farchnad brysur (Fflandrys ar ddiwedd yr ail ganrif ar bymtheg)

F (*dde*) Tŷ masnachwr, Dinbych-y-pysgod, 15fed ganrif

1 Atebwch y cwestiynau canlynol mewn brawddegau llawn:
   a) Beth oedd yn gwneud y trefi mor bwysig?
   b) Pa wybodaeth yn y testun sy'n awgrymu bod prentisiaethau yn boblogaidd?
   c) Pam roedd nifer o drefi yng Nghymru ynghlwm wrth gestyll ac wedi'u hamgylchynu gan furiau uchel?
   d) Pa effaith allai'r muriau hyn ei chael ar ffyniant cynyddol trefi fel Cydweli (ffynhonnell C)?

2 a) Darllenwch ffynhonnell A. I ba ddosbarth roedd William Harrison yn perthyn?
   b) Awgrymwch pam roedd y gwahanol bobl y mae ef yn eu disgrifio yn ciniawa a swpera ar wahanol adegau o'r dydd.

   c) Sut mae'r paragraff cyntaf ar dudalen 28 a ffynhonnell C yn helpu i egluro pam roedd trefi mor afiach?
   d) Eglurwch pam roedd y troseddau a ddisgrifir yn ffynhonnell E yn fwy tebygol o ddigwydd mewn trefi nag yng nghefn gwlad.
   e) Edrychwch ar ffynhonnell B. Eglurwch pam y gallai hanesydd feddwl fod y gŵr yma yn gyfoethog.

3 a) Eglurwch ystyr y geiriau hyn:
   trefol   masnach   prentisiaeth
   urdd   bwrdeiswr
   b) Ysgrifennwch ddisgrifiad o fywyd a gwaith mewn tref ar ddechrau'r 17eg ganrif, gan ddefnyddio ffynhonnell D i'ch helpu.

A Cardotyn yn cael ei gosbi (1577)

Problem y Tlodion

Roedd y Tuduriaid yn wynebu problem gynyddol; tlodi. Roedd bron hanner poblogaeth Cymru a Lloegr yn byw mewn tlodi gwirioneddol yn ystod yr unfed ganrif ar bymtheg a'r ail ganrif ar bymtheg. Roedd rhai mor eithriadol o dlawd fel eu bod naill ai'n cardota neu'n dwyn bwyd i'w fwyta, neu'n marw o **newyn**. Pam?

Mae pobl dlawd wedi bodoli erioed. Yn ystod yr Oesoedd Canol, roedd y tlodion wedi cael cymorth yr Eglwys a chardod gan y mynachlogydd. Roedd nifer ohonynt wedi llwyddo i gael gwaith tymhorol ar y tir yn enwedig adeg cynhaeaf ac roedd cyfnodau o afiechyd a phla, fel y Pla Du, yn golygu llai o bobl dlawd. Roedd brenhinoedd yr Oesoedd Canol hefyd yn hoff o ryfela ac yn aml, byddent yn cyflogi miloedd o ddynion, cyfoethog a thlawd fel ei gilydd, i frwydro yn eu byddinoedd. Roedd y broblem yn bod, ond doedd hi ddim yn broblem fawr i gymdeithas yr Oesoedd Canol.

Newidiodd hyn i gyd yn yr unfed ganrif ar bymtheg. Caeodd Harri VIII yr holl fynachlogydd gan leihau cyfoeth yr Eglwys. Ni allai roi cymaint o elusen i'r tlodion.

Roedd ar dirfeddianwyr cyfoethog eisiau gwneud mwy o elw. Newidiodd llawer ohonynt o dyfu cnydau i gadw anifeiliaid; roedd yn rhatach ac roedd angen llai o weithwyr. Caewyd y caeau agored mawr gyda ffensys a gwrychoedd. Bu raid i nifer o gyn-denantiaid a llafurwyr adael eu cartrefi a'u swyddi.

Roedd rhyfel yn fusnes drud. Er i Harri VIII barhau i ymladd rhyfeloedd, roedd ei blant Edward, Mari ac Elisabeth yn ddigon bodlon i'w hosgoi. Fe wnaethon nhw'r byddinoedd yn llai a chael gwared o nifer o longau.

Bu cynnydd mewn prisiau ac yn y boblogaeth. Roedd mwy o bobl ddi-waith a llai o elusen yn achosi problemau difrifol. Roedd prisiau'n codi'n gyflymach na chyflogau. Dyma chwyddiant; roedd yn golygu trychineb.

Bu i Margaret ferch Ieuan ap Dafydd ap Madog o Ffestiniog yn sir Feirionnydd, hen ferch, yng Nghlynnog ... ddwyn caws gwerth 1c ac arian gwerth 2c sef eiddo Lewis ap John ap William.

... bernir gan yr Ynadon Heddwch y dylid ei chwipio a'i hoelio wrth ei chlust ym marchnad Caernarfon.

B Cofnod o Lys Chwarter Sir Gaernarfon (1557)

Mae miloedd yn yr ardaloedd hyn sydd wedi gwerthu popeth, hyd yn oed wellt eu gwelyau, ac ni allant gael gwaith i ennill arian. Mae cnawd ci yn saig blasus, a gellir ei ddarganfod mewn nifer o dai.

C Adroddiad bonheddwr o sir Lincoln ar y newyn a achoswyd gan fethiant y cynhaeaf (1623)

D Darlun modern yn dangos y gosb a ddioddefodd Lewis Griffyth. Llanc 18 oed ydoedd a gafwyd yn euog o grwydraeth yn nhref Mynwy (1577)

Beth wnaeth llywodraethau Tuduraidd ynglŷn â phroblem y tlawd?

Rhwng 1531 a 1601 pasiodd y Senedd gyfres o Ddeddfau gan obeithio y byddent yn datrys y broblem. Dyma rai enghreifftiau o gynnwys y Deddfau:

E 1531:
Yn ôl y ddeddf hon dylai unrhyw ŵr neu wraig ffit a gafwyd yn gardotyn crwydrol, dihiryn neu grwydryn, ac nad oedd yn gallu egluro pam, gael eu clymu, eu dadwisgo tan yn noeth a'u chwipio drwy'r dref. Yn 1536 rhoddwyd trwydded i gardotwyr.

F 1547:
Byddai'r rhai oedd yn euog o grwydraeth neu gardota yn cael eu gwarthnodi â haearn poeth siâp-V. Pe byddent yn cael eu dal am yr ail waith yna fe'i gorfodid i fynd yn gaethweision am 2 flynedd.

G 1562:
Trwy'r ddeddf hon penderfynodd y llywodraeth annog pobl i gyfrannu at y gost o ddelio â'r tlawd.

H 1572:
Roedd cardotwyr i gael eu chwipio a'u tyllu drwy'r glust gyda haearn poeth neu eu hoelio i goeden am y drosedd gyntaf. Roeddent i'w dienyddio am y drydedd drosedd. Gorfodwyd i bawb yn y plwyf gyfrannu arian at Dreth y Tlodion.

I 1601:
Ceisiodd Deddf y Tlodion wneud y dasg o ddatrys y broblem yn haws ac yn rhatach. Roedd yn cynnwys yr holl gyfreithiau blaenorol ond ychwanegwyd rhan a oedd yn nodi tri math o dlodion:

1 Y tlodion ffit neu abl o gorff a roddwyd i weithio yn y plwyf;

2 Y tlodion hen, sâl neu fethedig y gofalwyd amdanynt mewn elusendai;

3 Y tlodion diog neu droseddol a oedd i'w hanfon i dai cywiro ar ôl eu cosbi. Roedd troseddwyr difrifol i gael eu dienyddio.

J *(isod)* Bonheddwr Tuduraidd a chardotyn trwyddedig (heb ddyddiad)

Tri mis haf trwm, ysywaeth,
Drud yw'r ŷd, diriaid yr aeth (aeth pethau'n ddrwg)
On[i]d rhyfedd, o drawsedd draw (o drueni)
I gywaethawg (gyfoethog) ei weithiau (ei weithio er budd iddynt eu hunain)?

K Cerdd gan Edwart ap Raff am newyn 1597

---

1 Darllenwch y testun a'r ffynonellau.
   a) Ceisiwch ganfod cymaint o resymau ag y gallwch i egluro pam fod nifer y tlodion wedi cynyddu yn ystod cyfnod y Tuduriaid a'r Stiwartiaid. Cyflwynwch eich rhesymau ar ffurf diagram pryf cop ar dudalen lawn. Defnyddiwch luniau a geiriau.
   b) Pa un o'r rhesymau a restrir sy'n egluro orau y cynnydd mewn tlodi? Eglurwch eich ateb.

2 a) Eglurwch ystyron y geiriau a'r ymadroddion canlynol:

   chwyddiant   crwydraeth   newyn
   trwydded   elusendai   Llys Chwarter

3 a) Rydych yn gardotyn sy'n ymddangos gerbron Ynad Heddwch ar ôl cael eich dal yn cardota am yr ail waith. Ysgrifennwch araith yn eich amddiffyn eich hunan.
   b) Rydych yn Ynad Heddwch. Ysgrifennwch ddarn yn cyfiawnhau'r ddedfryd y byddwch yn ei rhoi ar y cardotyn.

4 Beth allwn ni ei ddysgu o ffynonellau A i K am:
   a) Agwedd y llywodraeth Duduraidd tuag at y tlawd?
   b) Y dulliau a ddefnyddiwyd gan y llywodraeth i ddelio gyda'r tlawd?

8

Bygythiadau i'r deyrnas

Roedd ar y Senedd eisiau iddi briodi. Roeddent yn credu y byddai'r wlad yn fwy diogel pe byddai'n gwneud hynny ... Gwyddai hi, pe byddai'n priodi pendefig Seisnig, y byddai'n digio eraill. Pe byddai'n priodi tramorwr, ni fyddai wedi bod mor rhydd i ddilyn ei pholisïau.

A   J F Aylett: *The Making of the United Kingdom* (1992) - gwerslyfr ysgol

B   **Mari gyda'i mab bychan Iago. Wedi i Mari ffoi o'r Alban, gwnaed ef yn frenin**

Yn 1562, bu Elisabeth yn wael gyda'r frech wen a bu bron iddi farw. Roedd hyn yn fygythiad difrifol i ddiogelwch y deyrnas. Doedd hi ddim yn briod felly doedd ganddi ddim plant. Pe byddai'r frenhines wedi marw, pwy fyddai'n teyrnasu?

Perthynas agosaf Elisabeth a'i hetifedd oedd Mari, Brenhines yr Alban. Ond roedd hi'n Babydd ac yn gyfeillgar â Ffrainc, gelyn Lloegr. Roedd y syniad o gael Mari'n frenhines yn codi ofn ar weinidogion Elisabeth. Ar ôl i Elisabeth wella o'i salwch, fe wnaethon nhw eu gorau i'w pherswadio i briodi. Gwrthododd.

Roedd Mari bron i ddeg mlynedd yn iau na'i chyfnither ac felly roedd hi'n barod i aros. Credai Elisabeth bod modd anghofio am broblem yr olyniaeth cyn belled â'i bod hi'n iach a bod Mari yn aros yn yr Alban. Ond doedd rhai o ddeiliaid Pabyddol Elisabeth ddim yn fodlon anghofio. Roedden nhw'n credu mai Mari oedd eu gwir frenhines. Ond aros yn dawel a gwneud dim fu eu hanes; o leiaf hyd 1568!

Roedd teyrnasiad Mari yn yr Alban wedi bod yn drychinebus. Protestaniaid oedd y mwyafrif o'r Scotiaid a doedd ganddyn nhw ddim ffydd yn eu brenhines Babyddol. Roedden nhw'n anfodlon iawn pan briododd Mari â Phabydd o Sais, sef yr Arglwydd Darnley. Er iddi gael mab ac **etifedd** o'r enw Iago, roedd y briodas ar ben.

Roedd Darnley yn ŵr ffôl, byr ei dymer ac wedi llofruddio David Rizzio, ffrind i Mari. Yn 1567, ddwy flynedd yn unig wedi'r briodas, lladdwyd gŵr Mari, yr Arglwydd Darnley. Credai nifer o bobl fod Mari a'i chyfaill agos, Iarll Bothwell, yn euog o'i lofruddio. Pan briododd y ddau dri mis yn ddiweddarach, gwrthryfelodd yr arglwyddi Protestannaidd. Trechwyd byddin Mari a bu raid iddi ffoi i Loegr am ddiogelwch.

Roedd presenoldeb Mari yn Lloegr yn fygythiad difrifol i Elisabeth a'i theyrnas. Ond beth allai hi ei wneud? Roedd gan Elisabeth dri dewis:

1 Gallai anfon Mari yn ôl i'r Alban. Pe byddai'n gwneud hyn, gallai gelynion Mari ei charcharu, neu hyd yn oed ei dienyddio. Byddai Elisabeth yn teimlo'n gyfrifol am farwolaeth cyd-frenhines a'i hetifedd.

2 Roedd modd anfon Mari i Ffrainc. Roedd hyn yn poeni Elisabeth oherwydd roedd Ffrainc yn elyn cryf. Gallai Mari gasglu byddin a

Mae Brenhines y Scotiaid yn beryglus i chi a bydd yn para felly. Eto i gyd, mae graddau o berygl. Pe cedwid hi'n garcharor ... bydd yn llai, pe gadewir iddi fod yn rhydd, bydd yn fwy.

C   Ysgrifennodd Syr William Cecil, prif weinidog Elisabeth, ati ym mis Hydref 1569

fyddai'n ddigon cryf i oresgyn Lloegr, yn ogystal â'r Alban.

3 Gallai Elisabeth garcharu Mari yn Lloegr. Pe byddai hyn yn digwydd, gallai Pabyddion Lloegr gynllwynio neu wrthryfela yn erbyn eu brenhines Brotestannaidd.

Dewisodd Elisabeth y trydydd dewis - sef carcharu Mari yn Lloegr. A oedd hi'n iawn? Fis yn ddiweddarach, gwrthryfelodd rhai ieirll pwerus o ogledd Lloegr. Trechwyd y gwrthryfel. Ychydig fisoedd yn ddiweddarach yn 1570, cafodd Elisabeth ei hysgymuno gan y Pab.

Rhwng 1571 a 1587, cafwyd pedwar cynllwyn i lofruddio Elisabeth: Cynllwyn Ridolfi (1571), Cynllwyn Throckmorton (1584), Cynllwyn Parry (1585) a Chynllwyn Babington (1586). Yn ffodus i Elisabeth, llwyddodd pennaeth y gwasanaeth cudd, Syr Francis Walsingham, i'w canfod a dienyddiwyd y cynllwynwyr. Ond oedd Mari yn fygythiad llawer mwy difrifol i fywyd Elisabeth. Roedd yn rhaid gwneud rhywbeth.

> *Gan mai'r wraig euog honno [Elisabeth] … yw achos cymaint o niwed i'r ffydd babyddol … nid oes amheuaeth nad pechu fyddai'r sawl sy'n ei hanfon o'r byd … ond haeddu canmoliaeth. A phe byddai bonheddwyr Seisnig yn penderfynu ymgymryd â gwaith mor ogoneddus, [gallwch] eu sicrhau nad ydynt yn pechu.*

D Ysgrifennodd y Pab Gregori XIII at ei lysgennad yn Sbaen (1580)

(isod) Safbwyntiau Elisabeth I a Mari, Brenhines y Scotiaid

Fi yw'r frenhines a fi fydd y frenhines … hyd yn oed os bydd raid i chi farw …

Fi ddylai fod yn frenhines ac a fydd yn frenhines … pan fyddwch chi'n marw …

1558   ?

?   ?

Y FRENHINES ELISABETH

Y FRENHINES MARI

---

1 a) Ysgrifennwch ddyddiadur Elisabeth ar gyfer y diwrnod ar ôl i Mari gyrraedd Lloegr. Rydych yn ceisio penderfynu beth i'w wneud â hi.

b) Gweithiwch mewn grwpiau. Chi yw cynghorwyr Elisabeth. Trafodwch yr opsiynau a restrir ar y ddwy dudalen hyn; pa un fyddech chi'n ei chynghori i'w gymryd? (Mae'n bosibl y byddwch yn meddwl am opsiwn arall.) Rhowch resymau dros eich dewis.

2 Atebwch mewn brawddegau:

a) Pam y credwyd bod salwch Elisabeth yn 1562 yn gymaint o fygythiad i'r deyrnas?

b) Chwiliwch am ddau beth trychinebus am deyrnasiad Mari yn yr Alban.

3 Darllenwch ffynonellau A a D. Beth allwch chi ei ddysgu ynddyn nhw am:

a) Pam y gwrthododd Elisabeth briodi;

b) Pam y daeth y Pab yn elyn i Elisabeth;

c) Pam roedd Pabyddion Lloegr yn cynllwynio yn erbyn neu am ladd y frenhines?

A Llun cyfoes o'r dienyddiad (Antwerp, 1587)

Dienyddio Mari, Brenhines y Scotiaid

Gofynnodd y Senedd i Elisabeth ddienyddio'r 'ddraig fawr wrthun' - eu henw nhw ar Mari, Brenhines y Scotiaid. Gwrthododd Elisabeth. Doedd hi ddim yn fodlon rhoi gorchymyn i ddienyddio perthynas a chyd-frenhines, heb allu profi bod Mari yn gysylltiedig â'r cynllwynion i'w lladd. Aeth Walsingham ati i baratoi'r dystiolaeth.

Llwyddodd asiantwyr Walsingham i faglu Mari drwy gymryd arnynt bod yn ffrindiau a oedd am ei rhyddhau a'i gwneud yn frenhines. Ar ôl 19 mlynedd fel carcharor, roedd Mari yn ddigon gorffwyll i wrando arnyn nhw. Tynnwyd Syr Anthony Babington, bonheddwr Pabyddol, a'r Cymro Thomas Morgan, cyn-ysgrifennydd Mari, i'r cynllwyn. Dyma nhw'n ysgrifennu at Mari am eu cynllun i ladd Elisabeth. Cytunodd Mari â'r cynllun yn ei llythyrau. Heb yn wybod iddynt, roedd eu llythyrau yn mynd i ddwylo Walsingham.

Restiwyd Babington a'i ddienyddio ym mis Medi 1586. Yn fuan wedyn, rhoddwyd Mari i sefyll ei phrawf a'i chael yn euog. Ychydig fisoedd yn ddiweddarach, arwyddodd Elisabeth - braidd yn anfodlon - warant i'w dienyddio. Fis Chwefror 1587, dienyddiwyd Mari.

> Rhoddodd un o'r gwragedd liain sanctaidd dros wyneb Brenhines y Scotiaid, a phiniodd ef wrth orchudd ei gwallt. Yna plygodd y Frenhines ar y clustog ac adrodd salm yn uchel mewn Lladin. Rhoddodd ei phen i lawr. Gan orwedd yn dawel ar y bloc ac ymestyn ei breichiau, gwaeddodd mewn Lladin, 'I'th freichiau, O Arglwydd', dair neu bedair gwaith ... Daliodd un o'r dienyddwyr hi'n ysgafn ag un llaw a thrawodd y fwyell hi ddwywaith, ond prin y gwnaeth hi unrhyw sŵn. Cododd ef ei phen i fyny i bawb ei weld a dweud 'Duw gadwo'r Frenhines!'

B Adroddiad i William Cecil, Arglwydd Burghley, 1587

> Rhwymodd Jane Kennedy lygaid y Frenhines gyda lliain gwyn ... plygodd Mari i lawr ar y clustog o flaen y bloc ... gan osod ei gên ... estynnodd y Frenhines ei breichiau a'i choesau gan ddweud mewn Lladin, 'In Manus tuas Domini' dair neu bedair gwaith. Sadiodd cynorthwywr Mr Bull y corff ... Methodd y trawiad cyntaf y gwddf gan dorri i mewn i bont ei hysgwydd. O'r diwedd, torrwyd y gwddf drwy ddefnyddio'r fwyell fel llif. Roedd hi tua 10 y bore. Daliodd y dienyddiwr y pen yn uchel gan weiddi 'Duw gadwo'r Frenhines' ... Parhaodd y gwefusau i symud am chwarter awr ar ôl ei marwolaeth ... daeth y gwallt gwinau yn ei ddwylo yn rhydd o'r benglog a chwympodd y pen i'r llawr.

C Antonia Fraser: *Mary, Queen of Scots* (1969)

---

1 a) **Pam doedd Elisabeth ddim am ddienyddio Mari?**

b) **Eglurwch pam y gallai fod wedi bod yn well i ladd Mari yn gyfrinachol a chogio ei bod wedi marw o achosion naturiol, efallai o salwch?**

c) **Pwy, yn eich barn chi, oedd fwyaf cyfrifol am achosi dienyddiad Mari: Syr Francis Walsingham, William Cecil (Arglwydd Burghley), Elisabeth I, Syr Anthony Babington neu Mari ei hunan? Rhowch resymau dros eich dewis.**

d) **Ydych chi'n meddwl bod Mari yn haeddu cael ei dienyddio? Eglurwch eich ateb.**

2 a) **Darllenwch a chymharwch ffynonellau B a C. Yna, rhestrwch unrhyw bethau sy'n debyg neu'n wahanol rhwng y ddwy ffynhonnell.**

b) **Sut fyddech chi'n egluro'r gwahaniaethau?**

c) **Edrychwch ar ffynhonnell A. Os ydych yn cymharu ffynhonnell A gyda ffynonellau B a C, mae yna wahaniaethau yn y modd y disgrifir dienyddiad Mari. Ceisiwch ganfod a nodi o leiaf dri gwahaniaeth.**

3 **Pe byddai rhywun yn gofyn i chi ysgrifennu adroddiad am ddienyddiad Mari, Brenhines y Scotiaid, pa un o'r ffynonellau uchod fyddech chi'n ei dewis? Pam?**

Armada Sbaen

Ym mis Gorffennaf 1588, hwyliodd llynges o 140 o longau rhyfel o Sbaen. Roedd arweinydd y llynges, Dug Medina Sidonia, wedi cael y dasg o oresgyn a choncro Lloegr a Chymru. Y gŵr oedd yn gyfrifol am gynllunio'r ymosodiad oedd Philip II, brenin Sbaen.

Pam oedd Philip mor benderfynol o ymosod ar deyrnas Elisabeth? Roedd gan Philip rywbeth personol yn erbyn Elisabeth. Bu unwaith yn ŵr i Mari Tudur ac wedi iddi farw yn 1558, roedd wedi gofyn i Elisabeth ei briodi. Cafodd Philip ei ddigio'n arw pan wrthododd.

Am ddeg mlynedd roedd môr-ladron o Loegr wedi bod yn ymosod ar longau Sbaen, gan ddwyn eu trysorau ac ysbeilio trefi yn **Ymerodraeth** Sbaen yn America. Yn gyhoeddus, roedd Elisabeth wedi beirniadu capteniaid y llongau ond yn dawel, roedd yn eu hannog. Daeth y sarhad terfynol yn 1587 pan suddodd Syr Francis Drake 30 o longau Sbaen yn harbwr Cadiz gan ymffrostio ei fod wedi 'deifio barf Brenin Sbaen'. Roedd Philip yn gandryll.

Roedd y brenin a'r frenhines yn anghytuno ynglŷn â chrefydd. Pabydd oedd Philip ond Protestant oedd Elisabeth. Roedd arno ef eisiau i Gymru a Lloegr ddod yn Babyddol eto, trwy rym os byddai raid. Helpodd Elisabeth y gwrthryfelwyr Protestannaidd i ymladd am ryddid yn erbyn Philip yn Iseldiroedd Sbaen.

Dywedodd Philip ei fod eisiau dial am ddienyddiad Mari, Brenhines y Scotiaid. Roedd hi hefyd yn Babydd a chredai Philip ei bod wedi ei llofruddio gan frenhines Brotestannaidd. Gan ei fod wedi derbyn bendith a chefnogaeth y Pab, roedd Philip yn sicr fod Duw ar ei ochr ef. Wrth i'w 'Armada anorchfygol' hwylio i gosbi Elisabeth, doedd gan Philip ddim amheuaeth mai ef fyddai'n ennill. Cyhoeddodd fanylion am ei lynges i'w gwerthu trwy Ewrop, gan gynnwys Lloegr.

A   Portread cyfoes o'r Brenin Philip II (1556)

Dylid gohirio hwylio'r Armada ... i roi cyfle i'r tywydd dyneru ... I mi mae'n ymddangos na ddylai brenin gyda chystal enw yn y byd ganiatáu i'w hunan gael ei hudo gan awch am ddial ... Pe byddai eich mawrhydi ... yn derbyn fy nghyngor byddwn yn parhau i awgrymu y dylai'r si ... fod y llynges i hwylio ar unwaith gael ei ledaenu gyda'r bwriad o ddychryn y Frenhines.

B   Marquis de Santa Cruz, pendefig o Sbaen, yn ysgrifennu at Philip o Sbaen (1587)

C   Llongau: 140 (110 o longau rhyfel a 30 o longau cyflenwi)
Dynion: 30,480 (8,500 o forwyr, 19,000 o filwyr, 2,800 o gaethweision gali ac 180 o offeiriaid)
Arfau: 2,600 canon, 123,000 o beli canon, powdwr, arfwisgoedd, cleddyfau a phicellau
Bwyd: bisgedi, cig moch, pysgod, caws, reis, ffa, gwin, finegr a dŵr

1 a) Gwnewch restr o'r rhesymau pam roedd Philip eisiau goresgyn Lloegr a Chymru. Ysgrifennwch bob rheswm ar wahân.
  b) Pa reswm, yn eich barn chi, fyddai'r Brenin Philip wedi'i ddewis i gyfiawnhau ei ymosodiad? Eglurwch eich ateb.

2. Darllenwch ffynonellau B a C.
  a) Pa reswm mae ffynhonnell B yn ei awgrymu am yr ymosodiad?
  b) Beth, yn eich barn chi, oedd y gwir reswm dros yr ymosodiad?

3. Darllenwch ffynhonnell C.
  a) Byddai'r math hwn o wybodaeth yn cael ei gadw'n gyfrinach heddiw. Pam, gredwch chi, roedd Philip mor awyddus i'w gyhoeddi?
  b) Pa ran o ffynhonnell B fyddech chi'n ei defnyddio i gefnogi eich ateb blaenorol? Ysgrifennwch ef.
  c) Cyhoeddwyd y wybodaeth hon gan argraffwyr Protestannaidd yn Lloegr, ond gan ychwanegu sgriwiau bawd, chwipiau, raciau a gefeiliau. Pam wnaethon nhw hyn?

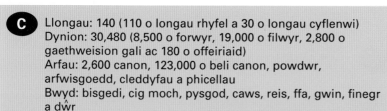

A   Llwybr Armada Sbaen

Map labels: G, YR ALBAN, LLOEGR, IWERDDON, CYMRU, Llundain, YR ISELDIROEDD, Calais, FFRAINC, Corunna, SBAEN, Cadiz

Tiroedd a reolid gan Philip II

0   200   400   km

Pam y bu i'r Armada fethu?

Roedd cynllun Philip yn ymddangos yn un syml. Roedd yr Armada i hwylio i'r Iseldiroedd, casglu byddin Dug Parma, glanio'r fyddin yng Nghaint ac yna gorymdeithio i Lundain. Credai Philip y byddai'r 25,000 o Babyddion yn Lloegr yn codi i gefnogi ei fyddin ef. Gyda'u cymorth hwy, byddai'r Frenhines Elisabeth yn cael ei chipio a Phabydd yn cymryd ei lle. Byddai Lloegr a Chymru yn dod yn rhan o Ymerodraeth Sbaenaidd Philip. Heb gymorth gan y Saeson, byddai'r gwrthryfelwyr Protestannaidd yn yr Iseldiroedd yn ildio'n gyflym.

Pan hwyliodd yr Armada drwy'r Sianel, anfonodd yr Arglwydd Lyngesydd Howard 50 o longau Lloegr i ymosod ar y Sbaenwyr. Methodd y llongau fynd yn ddigon agos i wneud unrhyw niwed difrifol i'r gelyn. Er gwaethaf pedair brwydr ffyrnig yn y Sianel, cyrhaeddodd yr Armada Calais yn ddiogel. Un llong yn unig a oedd wedi'i cholli i ynnau'r Saeson.

Nid ymladdodd y Saeson, gyda'u llongau ardderchog, yn ôl eu harfer o gwbl ... roeddent yn saethu at hwl a hwyliau'r gelyn o bellter maith.

D   Petruccio Ubaldini, Protestant o'r Eidal a oedd yn byw yn Llundain : *The Story of a Glorious Victory* (1590)

Hyd yn oed pe byddai'r Armada yn rhoi inni'r 6,000 o Sbaenwyr y cytunwyd arnynt ... Ni fyddai gennyf wedyn ddigon o filwyr ... Bydd raid i ni ymladd brwydr ar ôl brwydr. Byddaf, wrth gwrs, yn colli dynion trwy glwyfo a salwch ... Mewn cyfnod byr iawn fe fydd fy llu ... wedi'i leihau fel y bydd yn hollol [anabl] i ddelio gyda'r nifer enfawr o elynion.

E   Dug Parma yn ysgrifennu at y Brenin Philip (1588)

Y gwir amdani oedd fod yr Armada yn brin o ddynion ac offer. Nid oedd ganddi ddigon o filwyr i ymosod yn uniongyrchol ar Loegr na digon o longau i gludo milwyr Dug Parma. Roedd yn brin o bowdwr; roedd y gwin yn suro; y pysgod wedi pydru.

B   J F Aylett: *The Making of the United Kingdom* (1992) - gwerslyfr ysgol

---

C   (dde) Llynges Sbaen yn hwylio ar ffurf cilgant. Dyma beth wnâi'r Armada yn anorchfygol. Roedd y llongau rhyfel cryfaf yn hwylio ar y cyrion gan amddiffyn y llongau cyflenwi arafach yn y canol. Pe byddai ymosodiad o'r cefn, byddai'r cyrn yn cau i mewn a dinistrio llongau'r gelyn

F Mae'r darlun hwn yn dangos llyngesau Lloegr a Sbaen yn ymladd yn y Sianel. Fe'i peintiwyd yn 1588/89

Roedd Medina Sidonia yn disgwyl y byddai Dug Parma yn aros yn Calais gyda'r milwyr. Ond doedd e' ddim yno. Bu raid i'r Armada aros nes y gallai'r ddau arweinydd Sbaenaidd drefnu i gyfarfod.

Roedd y Saeson yn cynllunio eu symudiad nesaf. Ar y tir, casglodd Iarll Caerwrangon fyddin yn Tilbury ger Llundain a oedd yn barod i ymladd yn erbyn y Sbaenwyr petaen nhw'n glanio ar dir Lloegr. Ymunodd y Frenhines Elisabeth ag ef a siarad â'r milwyr (Ffynhonnell G). Ar y môr, lluniodd yr Arglwydd Howard a'i ddau brif gapten, Drake a Hawkins, gynllun clyfar (gweler ffynhonnell H).

Gweithiodd y *llosgwyr-uffern* (llongau tân). Torrwyd siâp cilgant y rhes o longau. Hwyliodd y Sbaenwyr cynhyrfus allan o'r porthladd i wynebu llynges Lloegr. Doedd gan Sidonia ddim dewis ond hwylio ei longau i'r cyfeiriad yr oedd y gwynt yn eu gyrru: tua'r gogledd.

Rwy'n ... benderfynol yng nghanol gwres y frwydr i fyw a marw yn eich plith ... Rwy'n gwybod mai corff gwraig egwan a llesg sydd gennyf, ond mae gennyf galon a stumog brenin, a brenin Lloegr hefyd, a theimlaf ddirmyg fod Parma neu Sbaen ... yn meiddio ymosod ar ffiniau fy nheyrnas.

G Araith Elisabeth (1588)

Daeth yr [Arglwydd Lyngesydd] o hyd i wyth llong fach ac fe'u rhoddodd ar dân ymysg llynges Sbaen. Bu raid i'r gelyn nid yn unig dorri ar ei gwsg ond gan i'r tân ddigwydd mor sydyn, fe dorrodd ei geblau a chododd yr angor.

H Petruccio Ubaldini (1590)

Ni choncrwyd llynges Sbaen ... gan ddynion na llongau ... Fe'i concrwyd gan y tywydd ... Fe gollasom yn erbyn yr hyrddwynt a'r corwyntoedd yn unig.

I Ortiz Munoz, hanesydd Sbaenaidd: *The Glorious Spanish Empire* (1940)

J (*chwith*) Bathwyd y fedal hon i ddathlu'r fuddugoliaeth. Ystyr y geiriau Lladin yw 'Chwythodd Duw ac fe'u gwasgarwyd'

1 **Darllenwch ffynonellau D a H. Pa mor ddibynadwy yw tystiolaeth Petruccio Ubaldini? Rhowch resymau dros eich ateb.**

2 **Darllenwch ffyhonnell D ac edrychwch ar ffynhonnell F.**
   a) **Sut mae ffynonellau D a F yn gwrth-ddweud ei gilydd?**
   b) **Darllenwch ffynhonnell G. Pam yr aeth Elisabeth I i Tilbury?**
   c) **Beth mae ei haraith yn ei ddweud wrthych am ei chymeriad?**

3 **Beth mae ffynhonnell J yn ei ddweud wrthych am sut roedd Elisabeth a'i llywodraeth yn gweld y digwyddiadau? Pam ei bod yn bwysig hawlio bod Duw yn rhan o'r fuddugoliaeth?**

4 **Yn eich barn chi, pa un oedd y bygythiad mwyaf i Elisabeth a'i theyrnas:**
   a) **Mari, Brenhines y Scotiaid?**
   b) **Armada Sbaen?**
   Rhowch resymau dros eich dewis.

5 **Ysgrifennwch draethawd yn esbonio pam y bu i'r Armada fethu.**

Υ porthmyn

Rhaid oedd wrth drwydded flynyddol ... cyn y gellid ymgymryd â'r gwaith, ac ni chaniateid honno oni fyddai'r ymgeisydd yn ŵr priod dros ei ddeg ar hugain oed ac yn byw ar ei dir ei hun. Y porthmyn oedd bancwyr answyddogol yr oes... Ond ni thâl inni ramanteiddio'r porthmyn na'u galwedigaeth yn ormodol. Galwedigaeth ddreng a pheryglus oedd porthmona.

A Geraint Jenkins: *Hanes Cymru yn y Cyfnod Modern Cynnar 1530-1760* (1983)

B Darlun modern yn dangos gwartheg yn cael eu gyrru ar hyd y ffyrdd porthmyn niferus a agorodd gyntaf yng nghyfnod y Tuduriaid. Yn aml iawn, dyna'r unig ffyrdd a oedd yng Nghymru

Sbaen oedd un o'r gwledydd mwyaf cyfoethog yn Ewrop. Roedd ei chyfoeth yn dod o aur ac arian ei Hymerodraeth yn America i drysorlys brenin Sbaen. Cymru oedd un o'r gwledydd lleiaf a mwyaf tlawd yn Ewrop. Doedd ei chyfoeth hi ddim yn dod o fetelau gwerthfawr ond o werthu da byw.

Roedd llawer o dir Cymru wedi'i neilltuo i ffermio anifeiliaid. Sylweddolai ffermwyr Cymru fod yr ucheldiroedd yn fwy addas i gadw gwartheg a defaid nag i ddyfu cnydau. Yn ystod cyfnod y Tuduriaid, roedd defaid yn bwysicach na gwartheg. Roedd y defaid yn cael eu cadw i roi gwlân i ddiwydiant brethyn Lloegr. Ond erbyn diwedd teyrnasiad Elisabeth, roedd y galw am wlân o Gymru wedi gostwng. Roedd hi'n ddirwasgiad ar y diwydiant brethyn.

Yn ystod cyfnod y Stiwartiaid, trôdd nifer o ffermwyr Cymru i gadw mwy o wartheg na defaid. Oherwydd y boblogaeth gynyddol roedd mwy o alw am gig Cymreig. Roedd hyn yn arbennig o wir am drefi a dinasoedd Lloegr a oedd yn tyfu'n gyflym. Erbyn 1688 roedd poblogaeth Llundain wedi codi i 475,000. Y broblem nawr oedd sut i gael y gwartheg i farchnadoedd Lloegr. Y porthmyn oedd yr ateb.

Roedd y rhan fwyaf o'r porthmyn yn wŷr cefnog a oedd yn teithio o gwmpas Cymru yn prynu gwartheg a da byw arall gan ffermwyr. Byddai'r gwartheg yn cael eu gyrru i bentrefi fel Llangefni yng ngogledd Cymru a Llanymddyfri yn y de, i'w pedoli ar gyfer y daith hir. Gyrrwyd miloedd o wartheg i Loegr bob blwyddyn i'w gwerthu i ddelwyr o Loegr yn y ffeiriau gwartheg mawr. Roedd y ffair wartheg enwocaf yn Smithfield ger Llundain. Yna, byddai'r delwyr yn pesgi'r gwartheg ar borfa lewyrchus Lloegr cyn eu lladd am eu cig.

Daeth y diwydiant gwartheg a'r porthmyn yn bwysig iawn i **economi** Cymru. Roedd nifer o ffermwyr a chymunedau gwledig yn

dibynnu ar y porthmyn i werthu eu da byw, gan ymddiried ynddynt i fynd â'u gwartheg, eu gwerthu yn Lloegr ac yna dod yn ôl i Gymru gyda'r arian. Yna byddai'r ffermwyr Cymreig yn cael eu talu. Weithiau roedd y symiau a gasglwyd mor fawr fel bod rhai o'r porthmyn yn cael eu temtio i redeg i ffwrdd gyda'r arian.

Ond roedd y rhan fwyaf o'r porthmyn yn wŷr gonest. Roedd rhai ohonyn nhw'n wŷr dysgedig iawn. Roedd Edward Morris o Berthi Llwydion yng ngogledd Cymru yn fardd enwog tra oedd Dafydd Jones o Gaeo yn y de yn enwog fel awdur emynau. Roedd rhai ohonyn nhw'n wŷr cyfoethog. Pan fu Thomas Lewis o Drefeibion Meurig ym Môn farw yn 1736, gadawodd £1,500 yn ei ewyllys.

Allai'r rhan fwyaf o Gymry ddim ond breuddwydio am deithio i Lundain. Ychydig wydden nhw am yr hyn oedd yn digwydd yn y byd y tu allan. Byddai'r porthmyn yn dod â llythyrau, newyddion a manylion am ffasiynau newydd yn ôl i Gymru, yn ogystal â nwyddau nad oeddent ar gael yn lleol.

D Papur punt o Fanc y Ddafad Ddu (1770). Roedd y porthmyn ymhlith y cyntaf i sefydlu banciau fel yr un hwn yng Nghymru

---

Galiynau (llongau) Cymru sy'n dod â'r aur a'r arian prin sydd gennym.

C Dyma ddywedodd John Williams o Gonwy, Archesgob Efrog (1582-1650) am y porthmyn

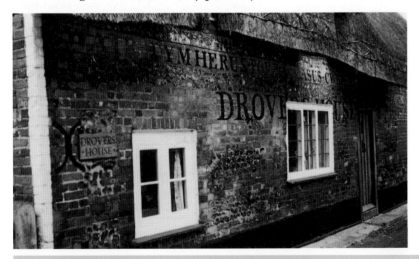

E *(chwith)* Llun o dafarn o'r enw Drover's House yn Stockbridge, Hampshire, Lloegr. Byddai'r porthmyn fel rheol yn cysgu mewn gwestai a thafarndai ar hyd y daith. Enwyd nifer ohonynt ar ôl y Porthmyn a oedd yn eu defnyddio. Roedd y dafarn hon yn anarferol oherwydd roedd y geiriau Cymraeg canlynol ar y wal: *Gwair Tymherus-Porfa Flasus-Cwrw Da-a Gwal Gysurus*

---

1 Ysgrifennwch a gorffennwch y brawddegau hyn, gan ddewis yr ateb cywir:
   a) Roedd cyfoeth economi Cymru yn dibynnu ar fasnach mewn (aur ac arian/da byw).
   b) Roedd y rhan fwyaf o dir Cymru yn cael ei ddefnyddio ar gyfer ffermio (cnydau/anifeiliaid).
   c) Yn ystod yr unfed ganrif ar bymtheg, roedd ffermwyr Cymru yn cadw mwy o (ddefaid/foch) na gwartheg.
   d) Roedd y galw mwyaf am wlân Cymreig ar gyfer diwydiant brethyn (Ewrop/Lloegr).

2 O'r testun ar dudalen 38, ysgrifennwch un enghraifft o newid ac un enghraifft o barhad (rhywbeth sy'n aros yr un fath) mewn ffermio.

3 Darllenwch ac edrychwch ar ffynonellau A i E. Rhestrwch o leiaf bedair mantais ddaeth i Gymru yn sgil y porthmyn.

4 Rydych yn fasnachwr gwartheg cefnog sy'n dymuno cyflogi porthmon i fynd â'ch da byw i Loegr. Defnyddiwch y wybodaeth yn y testun a ffynhonnell A i'ch helpu gyda'r canlynol:
   a) Cynlluniwch boster i hysbysebu'r swydd;
   b) Ysgrifennwch ddisgrifiad swydd ar gyfer ymgeisydd addas.

*F*forwyr a môr-ladron

David Fraser: *Yr Anturiaethwyr* (1978)

Pan ddaeth Harri VII i'w orsedd trwy ei fuddugoliaeth ar faes Bosworth yn 1485 safai Cymru ar ymylon byd oedd yn newid. Ymhen saith mlynedd byddai Columbus yn glanio yn India'r Gorllewin ac o hynny allan byddai Cymru yng nghanol y byd gorllewinol.

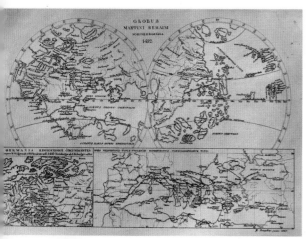

B **(uchod) Map o'r byd yn dyddio o'r bymthegfed ganrif**

Doedd Christopher Columbus ddim yn Gymro ac nid o Gymru yr hwyliodd. Mae'n siwr nad oedd wedi clywed am y wlad fechan hon, ond cyn hir, roedd y Cymry i glywed llawer amdano ef. Wedi iddo ddarganfod y Byd Newydd, newidiodd yr Hen Fyd am byth.

Cyn taith fforio Columbus, credai pobl fod eu byd yn edrych fel y map yn ffynhonnell B.

Ni cheisiodd Columbus brofi bod y map hwn yn anghywir, roedd yn cytuno ag ef. Nid oedd yn bwriadu na disgwyl darganfod tir newydd, 'trawodd' ar America ar ddamwain. Ei nod oedd darganfod llwybr newydd i'r Dwyrain. Credai ei bod yn bosibl hwylio i'r gorllewin ar draws Cefnfor Iwerydd i gyrraedd China yn y dwyrain. Roedd sbeisys a nwyddau drud eraill i'w cael yno. Byddai'r gŵr a fyddai'n dod o hyd i'r llwybr hwn yn gyfoethog ac yn enwog.

Roedd llawer o bobl yn anghytuno gyda Columbus, credai rhai ei fod yn orffwyll, roedd ofn ar eraill. Roeddent yn dweud y byddai'n syrthio oddi ar ymyl y byd neu y byddai bwystfilod môr yn ei fwyta. Dywedodd Columbus nad oedd yn credu'r straeon hyn.

Byddai taith o'r fath yn ddrud iawn. Gwrthododd brenhinoedd Portiwgal a Ffrainc roi arian iddo. Roedd gan Harri VII, brenin Lloegr, ddiddordeb mawr ond cyn y gallai roi ei ateb, cytunodd y Frenhines Isabella o Sbaen i fenthyca'r arian i Columbus. Addawodd ef yn ei dro y byddai'n cyflwyno tiroedd newydd ac aur iddi hi. Er mwyn cael cefnogaeth yr eglwys, addawodd Columbus y byddai'n lledaenu'r ffydd Gristnogol.

Gyda chriw o 90 o ddynion, rhai ohonyn nhw'n droseddwyr, a 3 llong fach sef *Nina*, *Pinta* a'r *Santa Maria*, hwyliodd Columbus ar 3 Awst, 1492. Ar ôl hwylio am bron i ddeg wythnos, roedd ei

C **(isod) Darlun o Columbus yn glanio (heb ddyddiad)**

ddynion yn barod ar gyfer **miwtini**. Roedd arnyn nhw ofn. Doedden nhw ddim wedi gweld tir. Ceisiodd Columbus eu tawelu a chytunwyd i hwylio ymlaen am ddau neu dri diwrnod eto. Roedd yn ffodus.

Ar fore 12 Hydref, gwelodd un o forwyr y *Pinta* dir. Aeth Columbus i'r lan i archwilio'r ynys a'i galw yn San Salvador, sy'n golygu Achubwr Sanctaidd.

Doedd y brodorion ddim yn edrych fel y Chineaid roedd yn disgwyl eu gweld. Ar ôl tri mis o hwylio o gwmpas ynysoedd eraill yn yr ardal, roedd yn meddwl ei fod yn agos at India.

Aeth Columbus yn ôl i Sbaen o'r ynysoedd a alwyd ganddo yn 'India'r Gorllewin'. Ychydig iawn o aur oedd ganddo, ond daeth ag Indiaid ac ambell barot i brofi ei fod wedi darganfod llwybr newydd i'r Dwyrain. Roedd y Frenhines Isabella a'r Brenin Ferdinand yn falch iawn. Roedden nhw'n barod iawn i dalu am fwy o deithiau. Methodd Columbus ddarganfod yr aur a'r sbeisys yr oedd yn chwilio amdanynt. Doedd ef ddim hyd yn oed yn sylweddoli ei fod wedi darganfod cyfandir newydd. Ond sylweddolodd eraill yn ddigon buan.

Yn 1507 gwnaeth Almaenwr o'r enw Waldseemüller fap newydd o'r byd a oedd yn dangos y cyfandir newydd hwn. Ond yn hytrach na'i enwi ar ôl Columbus, cafodd ei enwi ar ôl morwr arall o'r enw Amerigo Vespucci. Roedd gwledydd eraill eisiau rhannu'r wybodaeth newydd hon am y byd. Yn 1497 cyflogodd Harri VII Eidalwr arall, John Cabot, i hwylio ymhellach i'r gogledd na Columbus. Darganfu ef Newfoundland, ynys newydd gerllaw arfordir yr hyn rydyn ni'n ei alw'n Canada heddiw. Ond efallai mai'r enwocaf o'r fforwyr hyn oedd Ferdinand Magellan a Vasco da Gama o Bortiwgal. Yn 1488, darganfu da Gama lwybr i India drwy hwylio i'r de ar hyd arfordir Affrica. Darganfu Magellan y Cefnfor Tawel ac er iddo gael ei ladd yn ystod y daith, llwyddodd rhai o'i ddynion i gwblhau'r daith gyntaf o gwmpas y byd rhwng 1519 ac 1523.

DE PISCIB. MONSTRO.

De suffocatione nauium per monstrosos Pisces.

D Darlun cyfoes yn dangos y bwystfilod môr

1 Cwestiwn am gymhellion yw hwn (sef pam roedd pobl yn gwneud pethau).
   a) Mae'r canlynol yn rhestr o gymhellion sy'n awgrymu pam roedd Columbus wedi gwneud ei fordaith:
      i) enwogrwydd
      ii) cyfoeth
      iii) lledaenu'r grefydd Gristnogol
      iv) yr angen i fforio.
      Pa un, yn eich barn chi, berswadiodd Columbus?
   b) Pa un o'r rhestr uchod a berswadiodd Columbus yn ôl ffynhonnell C?
   c) Pa gymhellion oedd gan y Brenin Ferdinand a'r Frenhines Isabella wrth gefnogi Columbus? Eglurwch eich ateb yn llawn.

2 a) Rhowch y rhestr hon o fforwyr ar linell amser.
      Vasco da Gama 1498
      Christopher Columbus 1492
      Ferdinand Magellan 1519
      John Cabot 1497
   b) Ysgrifennwch frawddeg am bob un o'r fforwyr i ddweud pam y dylid eu cofio.

3 Mae rhai haneswyr wedi galw'r mordeithiau hyn yn Chwyldro'r Cefnfor. Fyddech chi'n cytuno gyda'r label hanesyddol hwn? Rhowch resymau dros eich ateb.

Gwelsom hwy'n glanio, a gyda'u capten, yn dechrau ysbeilio eiddo'r masnachwyr a'r rhai ohonom a oedd yn byw yno. Yr hyn sydd … i'w resynu (feirniadu) uwchlaw popeth arall yw'r ffordd ddigywilydd y bu iddynt, gyda'u cyllyll, dorri'n ddarnau y delwau santaidd a'r croesluniau, ac wedi gwneud hynny, ddychwelyd i'w llong yn llwythog gydag eiddo wedi'i ddwyn.

A Adroddiad gan Sbaenwr, Gaspar de Vargas, ar laniad Drake ger tref Guatulco ar arfordir México (1579)

Ar 15 Ebrill [1579] cyrhaeddodd borthladd Guatulco, ei gyffyrddiad olaf gyda'r Sbaenwyr ar y fordaith hynod honno … hwyliodd tua'r gogledd [a] chanfod harbwr addas a chyfleus ar arfordir Califfornia … Meddiannodd Drake y tir hwn yn enw'r Frenhines a'i alw'n 'Nova Albion' … gwnaeth nifer o [ymweliadau] i ddarganfod natur y tir a'r bywyd naturiol a oedd i'w ganfod yno.

B Adroddiad ar fordaith Drake gan Alex Cumming, hanesydd o Loegr (1987)

Dau Sais yn fforio'r byd: Drake a Cook

Roedd bywyd ar y môr yn arw a pheryglus. Roedd llongau, cyflenwadau a chriw wedi'i hyfforddi yn ddrud. Roedd brenhinoedd Sbaen yn fwy cyfoethog na brenhinoedd a breninesau Lloegr felly roedden nhw'n gallu parhau i anfon fforwyr i'r Byd Newydd. Tra daeth morwyr Sbaen yn enwog fel fforwyr, daeth morwyr Lloegr yn enwog fel môr-ladron.

Roedd hyn yn golygu bod capteiniaid llongau fel Francis Drake, John Hawkins a Martin Frobisher wedi cael **trwydded** gan y Frenhines Elisabeth i ddwyn o longau trysor Sbaen. Daethant yn enwog am eu dewrder a'u beiddgarwch. Aethant mor bell ag ysbeilio trefi ar hyd arfordir Ymerodraeth Sbaen yn yr Americas. Roedd y Sbaenwyr yn eu galw'n fôr-ladron, ond roedden nhw'n honni mai fforwyr oedden nhw.

Yn 1577, hwyliodd Drake gyda phum llong a chriw o 164 o ddynion ar daith. Roedd ganddo bedair prif dasg:

1 bod y Sais cyntaf i hwylio o gwmpas y byd
2 darganfod tiroedd newydd a'u hawlio i'r frenhines
3 dod ag aur, sbeisys a thrysorau eraill yn ôl
4 dangos i'r Sbaenwyr nad nhw oedd yn rheoli'r cefnforoedd.

Yn 1580 dychwelodd Drake a chafodd groeso arwr. Daeth â chyfoeth mawr gydag ef, gwerth bron £250,000 ac am hynny, cafodd ei urddo'n farchog gan y frenhines a £10,000 yn rhodd. Cymerodd hi'r gweddill.

Erbyn amser geni Capten James Cook yn 1728, Prydain oedd yn rheoli'r moroedd. Roedd ei llynges yn amddiffyn yr Ymerodraeth Brydeinig a oedd yn ehangu ar ôl dod yn gyfoethog oherwydd masnach. Roedd Ffrainc wedi cymryd lle Sbaen fel prif elyn Prydain ond ni allai ei llynges herio Llynges Prydain. Doedd amodau ar fwrdd llongau ddim wedi newid fawr ers dyddiau Drake. Roedd y llongau yn fwy ac roedd mwy o le i'r criwiau, ond roedd llawer o hyd yn marw o afiechyd. Yr afiechyd mwyaf peryglus oedd y sgyrfi. Prinder fitaminau oedd yn ei achosi. Cook oedd un o'r capteiniaid cyntaf i sicrhau bod ffrwythau ffres yn rhan o ddiet ei forwyr. Cyn hir, roedd sgyrfi wedi diflannu.

Roedd capteiniaid fel Cook yn wahanol iawn i Drake a'i debyg. Doedd gan Cook ddim diddordeb mewn ysbeilio, ond yn hytrach mewn gwyddoniaeth a **mordwyo**. Daeth yn gyfeillgar 'ag aelodau o'r Gymdeithas Frenhinol ac ymunodd rhai ohonyn nhw a oedd yn wyddonwyr a seryddwyr gydag ef ar ei daith yn 1768. Fel capten yr *Endeavour*, fforiodd Cook y Cefnfor Tawel a mapio arfordiroedd Awstralia a Seland Newydd. Hawliodd y tiroedd hyn i'r Brenin Siôr III.

C (chwith) Portread o Syr Francis Drake, ar ffurf miniatur, wedi iddo ddychwelyd o'r fordaith (tua 1581)

Roedd mwy o diroedd i'w darganfod a llwybrau masnach i'w canfod. Y pwysicaf oll oedd Tramwyfa'r Gogledd-Orllewin. Dyma'r llwybr morol y credwyd ei fod yn cysylltu Cefnfor Iwerydd â'r Cefnfor Tawel i'r gogledd o Ganada. Fel Frobisher a Hudson o'i flaen, methodd Cook ei ganfod ond ef oedd un o'r cyntaf i fforio'r Antarctig.

Rydyn ni'n cofio Columbus, Drake, Cook ac eraill am eu bod wedi mentro fforio i fannau roedd ar y rhan fwyaf o bobl ofn mynd, gan gynyddu ein gwybodaeth am y byd.

D *(dde) Y Golden Hinde*, llong Drake

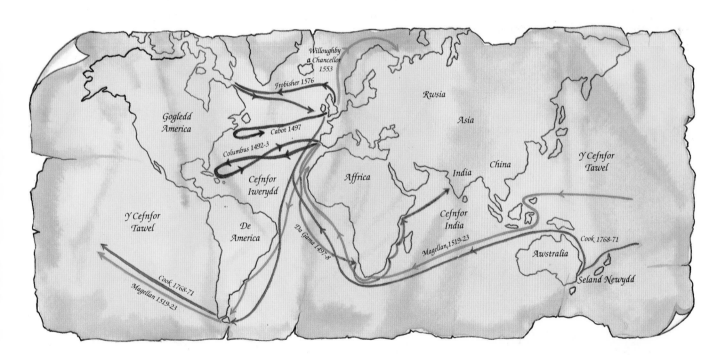

E Chwilio am Lwybrau Masnach a Thiroedd

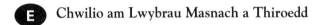

---

1 **a)** Rhestrwch bedwar rheswm yn egluro pam yr hwyliodd Drake ar ei fordaith yn 1577.

b) Yn eich barn chi, pa un oedd y rheswm pwysicaf dros fordaith Drake? Defnyddiwch dystiolaeth o'r testun a'r ffynonellau i'ch helpu i egluro eich dewis.

c) Rhowch ddau reswm i egluro pam yr hwyliodd Capten Cook ar ei fordaith yn 1768.

d) Cymharwch fywydau a gorchestion Drake a Cook. Ceisiwch ganfod a rhestru tri pheth oedd yn debyg rhyngddyn nhw a thri pheth oedd yn wahanol.

2 Darllenwch ffynonellau A a B.

a) Sut mae'r ffynonellau yn gwrth-ddweud ei gilydd (yn anghytuno) ?

b) Sut fyddech chi'n egluro'r gwrth-ddweud hwn?

c) Pa ffynhonnell, yn eich barn chi, yw'r adroddiad mwyaf dibynadwy o daith Drake i'r Byd Newydd? Eglurwch eich ateb.

3 Pe byddech yn ysgrifennu llyfr am arwyr, pwy fyddech yn ei ddewis i'w gynnwys: Capten Drake neu Gapten Cook? Eglurwch eich ateb.

A Yn 1584 cyhoeddodd offeiriad a hanesydd o'r enw Dr David Powel ei lyfr *Historie of Cambria, now called Wales*

B Portread o Tomos Prys [1604]

Anturiaethwyr o Gymru

Os ydym am gredu'r stori a adroddir yn ffynhonnell A, yna ni chafodd America ei darganfod gan Eidalwr oedd yn hwylio mewn llong Sbaenaidd yn 1492 ond gan Gymro a hwyliodd o Borthmadog yn 1170. Yn anffodus, chwedl yn unig yw'r stori am anturiaethau'r Tywysog Madog. Ond mae'n dangos faint o argraff greodd teithiau Columbus ar y Cymry a pha mor awyddus oedden nhw i fforio'r byd.

Yn ystod yr unfed ganrif ar bymtheg, doedd gan y mwyafrif o anturiaethwyr Cymreig ddim llongau eu hunain ac felly bydden nhw'n hwylio gyda chapteiniaid Seisnig. Môr-ladron oedden nhw yn hytrach na fforwyr. Yn 1667, hwyliodd Richard Williams, Humphrey Roberts a Thomas Ellis gyda'r Capten John Hawkins i'r Byd Newydd. Roedden nhw wedi cael trwydded gan y Frenhines Elisabeth i ysbeilio llongau a threfi Sbaenaidd.

Erbyn yr 1580au roedd rhai Cymry yn gapteiniaid ar eu llongau eu hunain. Yr enwocaf a'r mwyaf lliwgar oedd y bonheddwr o fardd a'r morwr Tomos Prys o Blas Iolyn yng ngogledd Cymru. Byddai ef yn aml yn cadw'r cargo a lwyddodd i'w ddwyn o longau Sbaen, yn hytrach na'i drosglwyddo i'r Frenhines Elisabeth.

Yn 1583 cipiodd Prys a'i gyfeillion agos, Piers Griffith o Landegai a William Middleton o Lansannan, gargo cyfoethog o faco a'i gadw. Y nhw oedd y cyntaf i ysmygu baco yn gyhoeddus. Pan nad oedd ar y môr, treuliai Prys ei amser yn Llundain, yn yfed, gamblo ac ymladd. Ysgrifennodd gerdd yn disgrifio ei fywyd yn Llundain. Erbyn 1595 roedd Prys wedi cael digon o gyffro a dychwelodd adref. Bu farw yn ei wely yn 70 mlwydd oed yn 1643.

Dau o'r môr-ladron mwyaf beiddgar yn yr 17eg a'r 18fed ganrif oedd Syr Harri Morgan o Went a Bartholomew Roberts o sir Benfro. Roedd Morgan yn 19 oed pan redodd i ffwrdd o'i gartref. Daeth yn enwog a chyfoethog yn gyflym iawn.

Roedd e'n ddewr a beiddgar ond hefyd yn greulon. Dinistriodd drefi Sbaenaidd gan ddwyn llawer o gyfoeth. Yn 1674 cafodd ei urddo'n farchog gan Siarl II a chael swydd dirprwy-lywodraethwr ynys Brydeinig Jamaica. Credai'r brenin ei bod yn ddoethach ei gael yn ffrind nag yn elyn iddo.

Eto i gyd, Bartholomew Roberts, neu Barti Ddu, sy'n gyfrifol am faner enwog y môr-ladron. Ef oedd y cyntaf i ddefnyddio'r 'penglog a'r esgyrn croes' yn 1718. Daeth gyrfa Barti Ddu i ben, fel llawer o rai tebyg iddo, mewn brwydr yn ymladd yn erbyn llong ryfel Brydeinig yn 1722. Ei ddymuniad oedd cael ei gladdu yn y môr yn ei ddillad môr-leidr amryliw.

Harri Morgan o'r Fenni, llafurwr, ynghlwm wrth Timothy Tounsend o Fryste [masnachwr] am dair blynedd i wasanaethu yn Barbados.

C Cofnod yn y *Bristol Apprentice Books* (1655)

Gwasanaethodd ei gyfnod yn Barbados [saith mlynedd] ac ar ennill ei ryddid aeth i Jamaica, yno i chwilio am ffortiwn newydd ... yno daeth ar draws dwy long yn perthyn i fôr-ladron. Roedd y ddwy yn barod i hwylio ac am nad oedd ganddo unrhyw waith, aeth gyda hwy. Ar ôl 3 neu 4 taith, roedd wedi dysgu'r grefft ... oherwydd ei ddewrder, dyrchafodd [ef] ei hun i'r hyn ydyw nawr.

D Ysgrifennodd awdur o'r enw John Esquemelling am Morgan: *History of the Buccaneers* (1684)

F Braslun o Syr Harri Morgan (1635-88)

Am a weriais o'm harian
Ynddi eleni yn lân,
Trwy'i gwenwyn, lle trig ennyd,
Tân gwyllt fo tani [Llundain] i gyd.

E Rhan o gerdd Tomos Prys, 'Cywydd i ddangos mai Uffern yw Llundain', lle mae'n gobeithio y bydd Llundain yn mynd ar dân am ei fod wedi gwario'i arian i gyd yno

Dilynais, diwael ennyd (amser gwych),
Y dŵr i Sbaen ar draws byd,
Tybio ond mudo i'r môr
Y trowswn wrth bob trysor.
Prynais long, prinheis y wlad
Am arian i'r cymeriad (sef y llong).
Heliais wŷr, anhwylus waith
I foriaw (forio) - llwyr oferwaith,
Iddewon, lliw duon, dig,
Uffernol foliau ffyrnig.

G Rhan o un o gerddi Thomas Prys yn disgrifio ei fywyd fel môr-leidr (heb ddyddiad)

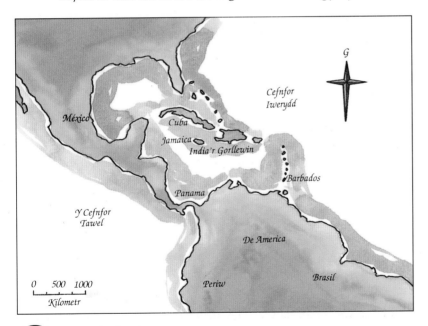

H Map o'r Caribî

1 Darllenwch ffynonellau A, D a G.
   a) Pam, yn eich barn chi, y creodd Dr David Powel y stori am y Tywysog Madog yn darganfod America?
   b) Eglurwch pam y daeth Tomos Prys a Harri Morgan yn fôr-ladron.
   c) Pa mor ddefnyddiol yw'r ffynonellau hyn i rywun sy'n astudio rôl y Cymry fel fforwyr a môr-ladron?

2 a) Eglurwch pam y cafodd Harri Morgan ei anrhydeddu a'i wobrwyo gan y Brenin Siarl II.
   b) Pam y bu i Tomos Prys ymddeol o'i fywyd fel môr-leidr?
   c) Yn eich barn chi, a yw Prys, Morgan a Roberts yn haeddu cael eu cofio fel troseddwyr neu fel arwyr? Rhowch resymau dros eich ateb.

Pwy sy'n rheoli?

Portread o Iago I o Loegr, Iago VI o'r Alban (1621)

Democratiaeth yw'r system wleidyddol ym Mhrydain. Mae hyn yn golygu bod gan y bobl y rhyddid i bleidleisio i ddewis llywodraeth. Y llywodraeth, yn y Senedd yn Llundain, sy'n cymryd penderfyniadau ac yn llunio'r cyfreithiau sy'n llywodraethu Prydain. Felly heddiw, y Senedd sydd â'r grym i reoli'r wlad.

Yn yr unfed ganrif ar bymtheg, roedd y wlad yn cael ei rheoli gan frenin neu frenhines a grŵp bychan o weinidogion. Doedd y gweinidogion ddim yn cael eu hethol ond yn cael eu dewis gan y brenin neu'r frenhines. Nhw oedd aelodau'r Cyfrin Gyngor.

Doedd y Senedd ddim mor bwysig. Roedd yn cyfarfod yn unig pan oedd ar y brenin neu'r frenhines angen cyngor neu arian, ac er y gallai anwybyddu cyngor y Senedd ni allai anwybyddu ei phŵer i godi trethi. Roedd y cwestiwn o arian weithiau yn achosi i'r Tuduriaid gweryla gyda'r Senedd.

Dechreuodd y Senedd ddod yn fwy pwysig yn ystod teyrnasiad Harri VIII. Yn 1529, trôdd y brenin at y Senedd am gymorth yn ei weryl gyda'r Pab ynglŷn â'i ysgariad. Cytunodd y Senedd i basio cyfres o Ddeddfau a fyddai'n rhoi terfyn ar bŵer y Pab ac yn caniatáu i Harri ddod yn Bennaeth yr Eglwys yng Nghymru a Lloegr. Gyda chefnogaeth y Senedd, roedd y Tuduriaid wedi dod yn fwy pwerus.

Roedd gan y Senedd bellach y grym i basio cyfreithiau yn ogystal â chodi trethi. Ond y brenin neu'r frenhines oedd yn gwneud y penderfyniadau ac yn dweud pryd y gallai'r Senedd gyfarfod.

Ni ddefnyddiodd Elisabeth y Senedd cymaint ag y gwnaeth ei thad. Pan fyddai'n cyfarfod, cadwai nhw mewn trefn drwy ddefnyddio ei swyn benywaidd a thrwy reolaeth fedrus. Doedd ei holynydd, y Brenin Iago I, ddim mor swynol na medrus. Roedd Iago wedi arfer â Senedd yr Alban. Doedden nhw ddim yn achosi trwbwl ac roeddent yn gwneud fel yr oedd ef eisiau. Sylweddolodd yn ddigon buan fod Senedd Lloegr yn wahanol.

Daeth yr Aelodau Seneddol i gredu y dylen nhw gael mwy o rym yn y broses o lywodraethu'r wlad. Roedden nhw wedi gwrthdaro gydag Elisabeth ar adegau oherwydd hyn, ond fel rheol llwyddodd y frenhines i'w tawelu. Roedd Elisabeth yn boblogaidd, ond doedd Iago ddim. Roedd y brenin wedi'u digio drwy wrthod trafod pethau a oedd, yn ei farn ef, yn ddim i'w wneud â hwy. Yn waeth fyth, digiodd y Senedd drwy gyhoeddi ei fod yn credu mewn Dwyfol Hawl. Gan fod Duw wedi ei ddewis i deyrnasu, gallai wneud fel y mynnai. Byddai'n ystyried unrhyw un a feiddiai anghytuno ag ef yn **fradwr.**

Roedd y Senedd a'i Haelodau Seneddol wedi brwydro'n galed yn ystod teyrnasiad Elisabeth i sefydlu'r hawl i siarad yn rhydd yn y

Senedd heb ofni cael eu restio. Nawr roedden nhw'n mynnu'r hawl i drafod materion y wlad. Gwrthododd y brenin. Roedd gwrthdaro'n siwr o ddigwydd.

B Tŷ'r Arglwyddi wrth agor y Senedd (1523). Mae'r brenin yn eistedd ar yr orsedd yn y canol a'i ddau Archesgob i'r dde ohono. Oddi tanynt mae'r esgobion mewn coch a'r abadau mewn du. I'r chwith o'r brenin mae'r pendefigion yn eistedd. Mae aelodau Tŷ'r Cyffredin a'u Llefarydd, Syr Thomas More, yn sefyll i'r dde ym mhen uchaf y llun

C *(dde)* Disgrifiad Syr Thomas Smith o'r Senedd: *De Republica Anglorum* (1565)

Diwrnod cyntaf y Senedd ac mae'r Tywysog a'r holl arglwyddi yn eu gwisgoedd Seneddol yn cyfarfod yn y tŷ uchaf hwn ... Nesaf o dan y Tywysog, eistedda'r Canghellor, ac ef yw llais ... y Tywysog. Ar y naill ochr o'r tŷ ... eistedda'r archesgobion a'r esgobion ... ar yr ochr arall y dugau a'r barwniaid.

... gelwir ar farchogion y siroedd a burdeiswyr y Senedd ... yn ôl dymuniad y Tywysog ... byddant yn ei ateb gan gyhoeddi ar ran pa sir neu dref y maent yn ateb; yna [gofynnir] iddynt ddewis gŵr galluog i leisio barn ar eu rhan i gyd ...

Mae grym goruchaf ac absoliwt teyrnas Lloegr wedi'i gynnwys yn y Senedd. Oherwydd disgwylir i bob Sais fod yn bresennol yno, ... [pwy] bynnag y bo, o'r Tywysog (y brenin neu'r frenhines) i'r person isaf yn Lloegr. A chymerir mai penderfyniad y Senedd yw penderfyniad pob dyn.

Ni ddylid defnyddio unrhyw sarhad na geiriau croes. Oherwydd yna bydd y Tŷ yn gweiddi 'Mae'n erbyn y drefn'; a phe byddai unrhyw un yn siarad [yn ddirmygus] yn erbyn y Tywysog neu'r Cyfrin Gyngor, rwyf wedi gweld eraill yn torri ar eu traws, a hyd yn oed [benderfyniad] wedyn i'w hanfon i'r Tŵr.

1 **Atebwch y cwestiynau canlynol:**
   a) Beth oedd tair prif swyddogaeth y Senedd? Yn eich barn chi, pa swyddogaeth yw'r bwysicaf? Eglurwch pam.
   b) Eglurwch yn fyr pryd a pham y daeth y Senedd yn fwy pwerus.
   c) Sut a pham y cwerylodd y Brenin Iago I gyda'r Senedd?
   d) Pa un oedd y mwyaf pwerus erbyn diwedd teyrnasiad Iago I yn 1625: y Senedd neu'r Brenin? Eglurwch eich ateb yn llawn.

2 a) Sut allai ffynhonnell B awgrymu bod Tŷ'r

Arglwyddi yn bwysicach na Thŷ'r Cyffredin yn yr unfed ganrif ar bymtheg?
   b) Pa Dŷ yw'r mwyaf pwerus heddiw: Tŷ'r Arglwyddi neu Dŷ'r Cyffredin?

3 **Darllenwch ffynhonnell C.**
   a) Chwiliwch am dair ffordd roedd y brenin/frenhines yn rheoli'r Senedd. Ysgrifennwch nhw.
   b) Sut y mae'r ffynhonnell yn awgrymu bod y Senedd yn bwysig?

A Mewn araith i'r Senedd (1610), mynegodd y Brenin Iago I ei safbwynt ynglŷn â Brenhiniaeth

B Llythyr Siarl I i Dŷ'r Cyffredin (1628)

C Mynegodd Iago ei farn ar y Senedd mewn llythyr at Sarmiento, Llysgennad Sbaen (1614)

D (dde) Siarl a'i wraig Henrietta Maria (1625)

Teyrnas wedi'i rhannu

Roedd y deyrnas wedi'i rhannu mewn crefydd. Yn 1605, cynllwyniodd grŵp o Babyddion i chwythu'r Brenin Iago I a'r Senedd. Methodd y cynllwyn. Cafodd y cynllwynwyr i gyd eu restio a'u dedfrydu i farwolaeth. Mae'r digwyddiad yn enwog fel Cynllwyn y Powdwr Gwn. Yn 1625, daeth Siarl yn frenin a phriodi Henrietta Maria, tywysoges o Ffrainc. Roedd y Piwritaniaid yn flin iawn gyda hyn oherwydd mai Pabydd ydoedd.

Un o gynghorwyr agosaf Siarl oedd William Laud, Archesgob Caer-gaint. Credai Laud ei fod ef a'i esgobion yn rheoli'r Eglwys Anglicanaidd oherwydd bod Duw wedi'u dewis. Roedd yn benderfynol o gael gwared â'r Piwritaniaid o'r wlad. Yn 1637 cosbwyd tri Phiwritan gan Laud am honni bod yr Eglwys yn llwgr. Torrwyd eu clustiau i ffwrdd, gwarthnodwyd eu bochau, cawson nhw eu dirwyo a'u hanfon i'r carchar. Daeth Laud yn amhoblogaidd, ond cefnogodd y brenin ef.

Roedd y deyrnas yn rhanedig mewn ffyrdd eraill hefyd. Yn union fel ei dad Iago, credai Siarl mewn Dwyfol Hawl. Yn wahanol i'w dad, dewisodd Siarl gael gwared â'r Senedd yn gyfan gwbl. Ond roedd ar Siarl angen arian. Gwrthododd y Senedd roi iddo yr hyn roedd arno'i eisiau. Wedi cweryl, diddymodd Siarl y Senedd yn 1629.

O 1629 hyd 1640 teyrnasodd Siarl I heb Senedd. Ei brif broblem oedd ble i gael yr arian yr oedd arno'i angen i lywodraethu'r wlad. Trôdd at y gyfraith a chynyddu'r dirwyon ar gyfer nifer o droseddau. Ceisiodd Siarl osod trethi newydd a chodi benthyciadau gan y pendefigion ac o dramor.

Y dreth fwyaf amhoblogaidd o ddigon oedd y Dreth Llongau. Yn y gorffennol, doedd dim disgwyl i neb ond pobl oedd yn byw yn ymyl y môr dalu. Cafodd y dreth hon ei chynllunio i dalu am lynges i amddiffyn y wlad mewn cyfnodau o ryfel. Er nad oedd y wlad yn rhyfela, roedd Siarl yn parhau i ddisgwyl i bobl dalu. Erbyn 1635, roedd rhaid i bawb dalu'r dreth hon.

Gwrthododd rhai pobl dalu. Yng Nghymru, gwrthwynebodd bonheddwr o Forgannwg, sef David Jenkins o Hensol. Yn 1637, adroddodd siryf sir Aberteifi ei fod wedi methu casglu yr un geiniog. Yn Lloegr, aeth John Hampden, tirfeddiannwr cyfoethog, â'r mater gerbron llys. Methodd ei achos. Roedd pobl yn beio'r brenin.

Yn 1640, gwrthryfelodd y Scotiaid. Roedden nhw'n anhapus gyda chynllun Laud i orfodi newidiadau yn eu Heglwys. Roedden nhw'n bygwth goresgyn Lloegr. Roedd ar Siarl angen arian i godi byddin. Doedd ganddo ddim dewis ond galw Senedd. Cytunodd y Senedd i roi'r arian iddo; ond am bris. Bu raid iddo ddienyddio ei gyfaill a'i brif weinidog, Iarll Strafford. Carcharwyd Laud hefyd.

Cyflwynwyd rhestr o gwynion i'r brenin - y **Gwrthdystiad** Mawr. Gwnaeth hyn y brenin yn flin. Ceisiodd ond methodd restio'r Aelodau Seneddol luniodd y rhestr. Gorchmynnodd Siarl i'r Senedd gau, ond gwrthod wnaethon nhw. Penderfynodd y brenin ddelio gyda'r Senedd unwaith ac am byth.

E Cartŵn propaganda o'r 1630au

F Cartŵn yn dangos yr Archesgob Laud yn bwyta clustiau un o'r Piwritaniaid, sef William Prynne (1637)

Piwritan yw'r math o ddyn
A ddywed â'i holl galon, 'Duw gadwo'r Brenin'.

Protestant yw'r math o ddyn
A wna, yn ei galon, Dduw o'r Brenin.

Pabydd ydyw'r math o ddyn
A fyddai, â'i holl galon, am ladd y Brenin.

G Rhannau o gerdd a gyfansoddwyd yn 1622

1 a) Pwy, yn eich barn chi, oedd yn gyfrifol am gyhoeddi ffynonellau E, F a G; Piwritan, Anglican (Protestant) neu Babydd (Catholig)? Eglurwch eich dewis ym mhob achos.

   b) Pam y bu i awduron ffynonellau E a F gyhoeddi'r lluniau hyn?

   c) Pa mor ddefnyddiol yw'r ffynonellau hyn i hanesydd sydd am ddeall y rhesymau pam roedd y deyrnas wedi'i rhannu yn grefyddol?

2 Gan weithio mewn grwpiau, meddyliwch am y cwestiwn 'Beth achosodd y Rhyfel Cartref?'
   a) Darllenwch y testun. Ceisiwch ganfod a rhestru cymaint o achosion ag y gallwch.

   b) Ychwanegwch eich atebion i gwestiwn 1 at y rhestr hon.

   c) Darllenwch ffynonellau A, B a C. Sut mae'r ffynonellau hyn yn ein helpu i egluro pam ddigwyddodd y Rhyfel Cartref?

   d) Ychwanegwch eich atebion i gwestiwn 2 b) at eich rhestr. Nawr, ail-drefnwch eich rhestr o achosion gan nodi'r pwysicaf gyntaf. Dywedwch pam eich bod yn credu mai dyma achos pwysicaf y Rhyfel Cartref.

3 A fyddai Rhyfel Cartref wedi digwydd, yn eich barn chi, pe na bai'r Stiwartiaid wedi bod yn frenhinoedd ar Loegr? Eglurwch eich ateb.

12

Y Rhyfel Cartref

Gadawodd Siarl I Lundain a theithio i Nottingham. Yno cododd fyddin. Ei gynllun oedd gorymdeithio i Lundain, delio gyda'r torfeydd oedd wedi'i orfodi i ffoi o'r ddinas ac yna restio'r Aelodau Seneddol oedd wedi'i wrthwynebu.

Roedd penderfyniad anodd yn wynebu'r Senedd; gallai ufuddhau i ddymuniad y brenin a chau neu gallai ymladd i'w hamddiffyn ei hunan. Dewisodd y Senedd ymladd.

Doedd llawer o'r bobl ddim eisiau rhyfel. Doedd rhai ddim yn siwr pa ochr i'w dewis, a doedd rhai ddim eisiau dim i'w wneud â'r peth. Roedd 27 o Aelodau Seneddol o Gymru yn y Senedd, ac roedd 20 ohonyn nhw wedi cefnogi'r Gwrthdystiad Mawr. Pan ddechreuodd yr ymladd, pum Aelod Seneddol Cymreig yn unig oedd yn parhau i fod yn ffyddlon i'r Senedd. Ymunodd 20 â'r brenin ac aeth dau adref. Ar wahân i sir Benfro a rhannau o sir Ddinbych, roedd Cymru ar ochr y brenin.

Ym mrwydr gyntaf y **Rhyfel Cartref**, ymladdodd dros 2,000 o Gymry dros y brenin. Roedd y ddwy ochr yn hawlio buddugoliaeth ac felly parhaodd y rhyfel. Roedd gwŷr meirch y brenin wedi'u hyfforddi'n well ac roedd ganddynt well arfau, ac felly llwyddon nhw i ennill nifer o frwydrau yn 1643. Roedd yn edrych fel petai'r brenin yn ennill y rhyfel. Yn ystod 1644 daliodd y Senedd ymlaen ond er ennill brwydr ym Marston Moor, roedd pethau yn edrych yn dywyll. Trôdd y Senedd at un o'i harweinwyr gorau am gymorth. Enw'r cadfridog oedd newydd ennill dyrchafiad oedd Oliver Cromwell. Sylweddolodd Cromwell fod yn rhaid creu byddin newydd. Ar ôl sawl mis o hyfforddiant, roedd Byddin Newydd Cromwell yn barod i weithredu. Yn 1645, enillon nhw fuddugoliaeth fawr ym mrwydr Naseby a llawer mwy o fuddugoliaethau wedi hynny.

Yn wahanol i'r Cymry, roedd y Scotiaid yn cefnogi'r Senedd. Ni wnaethon nhw hynny am eu bod yn credu bod y Senedd yn iawn ond am eu bod yn derbyn tâl am ei chefnogi. Roedden nhw hefyd yn credu y gallai'r Senedd amddiffyn eu credoau Protestannaidd. Ar y llaw arall, roedd Siarl wedi troi at y Pabyddion Gwyddelig am gymorth. Gwnaeth hyn ef yn amhoblogaidd iawn gyda llawer o bobl yn Lloegr. Ond cafodd siom yn y fyddin Wyddelig. Gyda chymorth yr Alban, llwyddodd y Senedd i drechu'r Brenhinwyr. Erbyn 1646 roedd y rhyfel drosodd.

BRENHINWYR (CAFALIRIAID)
Tŷ'r Arglwyddi
Gwŷr y Llys
Catholigion
Anglicaniaid
Y Cymru a'r Gwyddelod

Ystyr gwreiddiol cafalîr oedd 'gŵr march'. Daeth yn lysenw ar fonheddwr ffasiynol.

Y SENEDD (PENGRYNWYR)
Tŷ'r Cyffredin
Piwritaniaid
Masnachwyr
Yr Albanwyr

Fe'u llysenwyd yn Bengrynion gan y Cafaliriaid gwallt hir oherwydd eu gwallt byr

yn erbyn

Cymru a Lloegr adeg y rhyfel Cartref

YR ALBAN

Ardaloedd a reolid gan y Brenin yn 1642

Ardaloedd a reolid gan y Senedd yn 1642

Marston Moor ✗
✗ Efrog
Nottingham
CYMRU
✗ Naseby
Caerwrangon ✗ ✗ Edgehill
Sain Ffagan ✗ ✗ Rhydychen
✗ Bryste LLUNDAIN

G

0   50 100 150 200
Kilometr

A Brenin (Brenhinwr/Cafalîr) yn erbyn y Senedd (Pengrwn) a map yn dangos pa rannau o Gymru a Lloegr oedd dan eu rheolaeth yn 1642

Ni allai'r llysoedd barn - llysoedd y brenin - roi'r brenin ar brawf. Fe fyddai'n rhaid i'r Senedd sefydlu llys arbennig.

B Safbwynt hanesydd modern (1992)

Ni ddarllenais na chlywed erioed, fod lex [cyfraith] yn rex [brenin]; ond mae'n gyffredin a gwir iawn, mai rex yw lex, mae ef yn gyfraith sy'n byw, sy'n siarad ac sy'n gweithredu.

C Datganiad gan Syr Robert Berkeley, barnwr uchel lys (1635)

Mewn ymgais anobeithiol i ddianc rhag cael ei restio gan y Senedd, ildiodd Siarl i'r Scotiaid ym mis Mai 1646. Credai Siarl y byddent yn ei helpu, gan mai un o'r Stiwartiaid ydoedd. Ond am fwy o arian, cyflwynodd y Scotiaid ef i ddwylo'r Senedd.

Carcharwyd y brenin yng Nghastell Carisbroke ar Ynys Wyth tra oedd y Senedd yn penderfynu beth i'w wneud ag ef. Erbyn 1648 roedd ail Ryfel Cartref wedi torri allan. Roedd Siarl wedi sicrhau cytundeb cyfrinachol gyda'r Scotiaid ac fe anfonwyd byddin i lawr i'r de i'w achub.

Yng Nghymru, newidiodd llawer o gyn-gefnogwyr y Senedd ochrau gan gyhoeddi eu bod bellach yn cefnogi'r Brenin. Doedden nhw ddim wedi derbyn eu tâl. Cyn hir, roedd byddin Gymreig fawr yn teithio o sir Benfro i gyfeiriad Lloegr. Dan arweiniad John Poyer, masnachwr o Benfro, Rice Powell a Rowland Laugharne, cyrhaeddodd y Brenhinwyr Sain Ffagan ger Caerdydd. Ond yn dilyn brwydr ffyrnig, colli'r dydd fu eu hanes.

Enciliodd y Brenhinwyr i sir Benfro. Cyn hir, cyrhaeddodd Cromwell gyda byddin. Ildiodd Powell dref Dinbych-y-pysgod yn wyneb ymosodiadau o'r tir a'r môr. Ar ôl gwarchae hir, ildiodd Poyer a Laugharne gastell Penfro.

Gorymdeithiodd Cromwell i'r gogledd ac yn Preston, trechwyd y Scotiaid. Cyn hir, roedd Brenhinwyr Lloegr hefyd wedi ildio. Roedd yr ail Ryfel Cartref ar ben. Ond roedd y Senedd yn ofni y gallai'r brenin a'i gefnogwyr achosi rhyfel arall. Gwnaed y penderfyniad: roedd yn rhaid i'r brenin farw.

D Braslun cyfoes o Rowland Laugharne (1640au)

E (chwith) Pamffledi propaganda Saesneg yn gwneud hwyl am ben y Cymry (1640au)

---

1 Darllenwch y testun a'r ffynonellau ac atebwch y cwestiynau canlynol:
   a) Pam fyddai'r brenin wedi teimlo'n hyderus y byddai'n ennill y rhyfel?
   b) Rhowch bedwar rheswm pam yr enillodd y Senedd y rhyfel.
   c) Pa mor bwysig oedd cyfraniad yr Alban i'r Rhyfel Cartref? Eglurwch eich ateb.
   d) Pam y torrodd yr ail Ryfel Cartref allan yng Nghymru yn 1648?

2 a) Pa ochr yn y Rhyfeloedd Cartref, yn eich barn chi, oedd yn gyfrifol am gyhoeddi ffynhonnell E?
   b) Pa mor ddibynadwy yw'r ffynhonnell hon?

3 Sut mae ffynonellau B a C yn helpu i egluro'r anawsterau a wynebai'r Senedd wrth:
   a) gyhuddo'r brenin o drosedd
   b) roi'r brenin ar brawf?

ϒ Brenin Siarl I ar brawf

Dyma hanes treial Siarl I. Addasiad ydyw o **drawsgript** o adroddiad John Mabbut ar y Treial Gwladol yn 1649.

I'W DDARLLEN FEL DRAMA

Neuadd San Steffan, Dydd Sadwrn, 20 Ionawr 1649

JOHN BRADSHAW, cyfreithiwr uchelgeisiol a chyfaill CROMWELL, yw Llywydd a Phrif Farnwr yr Uchel Lys. JOHN COOK yw'r Erlynydd Gwladol.

BRADSHAW: Tawelwch yn y Llys. Cyrnol Thomlinson, dewch â'r carcharor.

[Hebryngir y BRENIN SIARL, sy'n gwisgo het nad yw'n ei thynnu ac yn cario gwialen gyda phen arian, at gadair felfed goch yng nghanol y neuadd]

BRADSHAW: Siarl Stiwart, rhoddwyd y pŵer i Dŷ'r Cyffredin eich profi a'ch barnu am yr anffodion yr ydych wedi'u dwyn ar y genedl.

COOK: Siarl Stiwart, fe'ch cyhuddir o ...

[Mae'r BRENIN yn taro ysgwydd COOK gyda'i wialen]

Y BRENIN: Rwy'n mynnu eich bod ...

BRADSHAW: Ewch yn eich blaen, Mr Cook ...

COOK: Fe'ch cyhuddir o reoli fel gormeswr, o fod yn fradwr ...

Y BRENIN: Ha!

COOK: ... ac o ryfela yn erbyn y Senedd a'r bobl.

BRADSHAW: Syr, rydych wedi clywed y cyhuddiad, sut rydych am bledio?

Y BRENIN: Cofiwch, myfi yw eich brenin, eich brenin cyfreithlon ... Rhoddwyd i mi y safle hwn drwy ras Duw. Felly, rwy'n atebol iddo Ef ac nid i'r cyfarfod anghyfreithlon hwn.

Y BRENIN: Chi yw brenin etholedig Lloegr ac rydych wedi'ch dwyn yma yn enw'r bobl.

Y BRENIN: Na Syr, rwy'n gwadu hynny. Caiff gorsedd Lloegr ei hetifeddu a dyna'r drefn ers ymron i fil o flynyddoedd. Rwy'n dweud eto, yn ôl pa awdurdod rydych chi'n fy rhoi ar brawf?

BRADSHAW: Syr, rydych wedi clywed eisoes nad eich lle chi yw cwestiynu'r Llys.

Y BRENIN: Mae'r llys hwn yn anghyfreithlon ... dangoswch i mi ymhle yn y Beibl neu yng nghyfansoddiad y Deyrnas y dywedir bod hawl gennych i'm rhoi ar brawf.

BRADSHAW: Syr, mae'n amlwg nad ydym yn symud ymlaen. Rwy'n gohirio'r Llys.

[Mae'r BRENIN yn gwrthod bod yn dawel]

Y BRENIN: Nid mater i'w gymryd yn ysgafn yw hwn. Rwyf wedi tyngu i gadw'r heddwch ac mae gen i ddyletswydd i Dduw a'm gwlad. Byddwch yn sicr o'ch awdurdod a'ch hawl yn y mater hwn neu fe fydd yn rhaid i chi ateb i Dduw a'r wlad.

BRADSHAW: Gohirir y llys hyd ddydd Llun. Disgwylir i chi roi eich ateb terfynol, neu fe fydd y Llys yn mynd ymlaen beth bynnag.

Y BRENIN: Pam ddylwn i ateb i chi? Nid ydych wedi argyhoeddi'r dyn cyffredin o'ch awdurdod, heb sôn am y brenin.

BRADSHAW: Ai dyna eich barn chi? Rydym ni yn y Llys yn fodlon gyda'n hawdurdod cyfreithiol i'ch profi chi.

Y BRENIN: Nid fy marn i na'ch barn chi ddylai benderfynu fy nhynged.

BRADSHAW: Mae'r Llys wedi nodi eich sylwadau ... ewch â'r carcharor ymaith.

[Caiff y BRENIN ei hebrwng i ffwrdd; wrth fynd heibio bwrdd yr Arglwydd Lywydd, mae'n gweld y Cleddyf Gwladol.]

Y BRENIN: Does dim ofn hwnna arnaf fi [Gan edrych ar y cleddyf].

LLEISIAU O'R ORIEL
GYHOEDDUS: Duw gadwo'r Brenin! Cyfiawnder! Cyfiawnder!

Dydd Llun, 22 Ionawr 1649

BRADSHAW: Tawelwch yn y Llys. Bydd Capten y Gwarchodwyr yn restio unrhyw un a fydd yn amharu ar y gweithrediadau.

COOK: Yn ein heisteddiad diwethaf, Syr, cyhuddwyd y carcharor o deyrnfradwriaeth a throseddau eraill. Nid atebodd y cyhuddiad ond yn hytrach amau awdurdod y Llys. Rwy'n cynnig y dylid ei gyfarwyddo i ateb ie neu nage, neu fel arall, fe gymerir ei dawelwch fel cyfaddefiad o euogrwydd a gall y Llys fynd yn ei flaen yn ôl y drefn.

BRADSHAW: Mr Cook, rwy'n cytuno ... os na fydd y brenin yn ateb y cyhuddiad, cymerir ei fod wedi cyffesu ei fod yn euog.

Y BRENIN: Rwy'n dweud eto, nid wyf yn cydnabod pŵer y Llys hwn i brofi brenin. Nid wyf yn protestio ar fy rhan fy hunan ond ar ran rhyddid y bobl. Fe fydd pŵer heb hawl cyfreithiol yn golygu fod pob deiliad yn y wlad dan fygythiad.

BRADSHAW: Syr ni allaf ganiatáu hyn ... Rwy'n mynnu ateb cyflym ac union.

Y BRENIN: Nid cyfreithiwr mohonof ond rwy'n gwybod bod gennyf hawl i leisio barn.

BRADSHAW: Rhaid i mi eich atgoffa nad ydych yma i gwestiynu ein hawdurdod. Byddwn yn nodi eich ymddygiad fel dirmyg Llys.

Y BRENIN: Ni chewch fy nhawelu. Nid Llys barn yw Tŷ'r Cyffredin.

BRADSHAW: Galwch ar y brenin i ateb y cyhuddiad. [Wrth Glerc y Llys]

CLERC Y LLYS: Siarl Stiwart, Frenin Lloegr, rydych wedi eich cyhuddo ar ran pobl Lloegr o deyrnfradwriaeth a throseddau eraill. Sut rydych yn pledio?

Y BRENIN: [Tawelwch]

BRADSHAW: Warchodwyr, ewch â'r brenin ymaith.

Y BRENIN: Nid wyf am adael. Atebaf i'r cyhuddiad yn unig pan gaf wybod o dan ba awdurdod yr ydych yn fy mhrofi.

BRADSHAW: ... cymerwch y carcharor.

Y BRENIN: ... ond mae angen amser arnaf i gael gwrandawiad.

BRADSHAW: Nid lle'r carcharor yw gofyn am unrhyw beth.

Y BRENIN: Carcharor! Nid carcharor cyffredin mohonof!

[Mae'r BRENIN SIARL yn protestio wrth iddo gael ei hebrwng ymaith]

A   Darlun cyfoes o'r treial

---

1 a) Pa droseddau y cyhuddwyd Siarl ohonynt?
  b) Sut y plediodd ef: euog neu ddieuog?
  c) Ym mha ffordd y dangosodd y brenin ddiffyg parch at y Llys trwy ei ymddygiad?
  d) A gredwch chi fod hyn yn fwriadol? Eglurwch pam.
  e) At beth roedd y brenin yn cyfeirio pan ddywedodd 'Rhoddwyd i mi y safle hwn drwy ras Duw'?

2. Gweithiwch mewn parau.
  a) Trafodwch a rhestrwch gryfderau a gwendidau'r dystiolaeth wreiddiol a addaswyd ac a gyflwynwyd yn y dull hwn.
  b) Pa mor ddibynadwy yw 'adroddiad gwir' John Mabbut o'r treial? Eglurwch eich ateb.

Dydd Mawrth, 23 Ionawr 1649

COOK: Mae mor glir â chrisial fod y brenin yn euog ac rwy'n awgrymu y dylid dod i benderfyniad a chyhoeddi'r ddedfryd.

BRADSHAW: Syr, fe fyddai'n gyfiawn i'r Llys eich dedfrydu nawr. Am y tro olaf, a ydych yn euog neu yn ddieuog o'r cyhuddiadau hyn?

Y BRENIN: Siaradais ddoe ar ran pobl Lloegr a thorrwyd ar fy nhraws. A gaf i siarad yn rhydd ai peidio?

BRADSHAW: Fe fydd y Llys yn eich clywed, ond y mae'n rhaid i chi ymateb i'r cyhuddiad.

Y BRENIN: Nid wy'n poeni dim am y cyhuddiad. Yn hytrach, rwy'n poeni am ryddid pobl Lloegr. Sut allaf i, eich brenin, gydnabod Llys fel hwn?

BRADSHAW: Syr, fe ddylech wynebu penderfyniad y Llys.

CLERC Y LLYS: [Yn ailadrodd y cyhuddiad] ... mae'r Llys yn mynnu eich bod yn rhoi ateb.

Y BRENIN: Nid yw'r Llys hwn yn gyfreithlon ac nid yw'n cynrychioli buddiannau'r bobl. Mae eich bwriadau wedi'u hysgrifennu mewn llythrennau gwaedlyd ar draws y Deyrnas.

BRADSHAW: Cofnodwch y dirmyg hwn. Filwyr, cymerwch ef. Rydych wedi clywed penderfyniadau'r Llys ac felly ni allwch fethu gweld eich bod gerbron Llys Barn.

Y BRENIN: Rwy'n gweld fy mod gerbron rhyw bŵer.

A   Portread o John Bradshaw (tua'r 1650au)

Dydd Mercher, 24 Ionawr 1649

Derbyniwyd tystiolaeth mewn siambr breifat.

Dydd Sadwrn, 27 Ionawr 1649

LLEISIAU O'R ORIEL
GYHOEDDUS: Dienyddiad! Cyfiawnder! Dienyddiad!

BRADSHAW: Tawelwch yn y Llys.

Y BRENIN: Rwy'n dymuno cael gwrandawiad heb unrhyw ymyrraeth.

BRADSHAW: Syr, Llywydd y Llys wyf i. Fe gewch siarad ... ond yn ddiweddarach. Foneddigion [y Llys], mae'n amlwg fod y carcharor wedi'i ddwyn gerbron y Llys sawl tro yn enw pobl Lloegr i ateb cyhuddiad o deyrnfradwriaeth a throseddau difrifol eraill.

ARGLWYDDES FAIRFAX: [Gan weiddi o'r oriel] Nid yw hanner, nid yw chwarter, pobl Lloegr yn cefnogi'r weithred hon. Bradwr yw Cromwell.

[ARGLWYDDES FAIRFAX yw gwraig Syr Thomas Fairfax, cadfridog ym myddin Cromwell]

BRADSHAW: Warchodwyr, hebryngwch y wraig o'r Llys. Mae'r Llys wedi ystyried yr achos yn llawn, a gan nad yw wedi ymateb i'r cyhuddiad, mae'n rhaid tybio ei fod yn euog. Ymhellach, gan fod y cyhuddiadau mor ddifrifol, mae'r Llys wedi cytuno ar y ddedfryd. Fodd bynnag, rydym yn fodlon gwrando ar y cyhuddiedig yn amddiffyn ei hun ... cyn belled nad yw'n cwestiynu awdurdod y Llys hwn.

Y BRENIN: Os felly, dywedaf hyn yn unig. Yn yr ychydig ddyddiau diwethaf, rydych wedi mynd â phopeth oddi arnaf, heblaw yr hyn rwy'n ei brisio yn fwy na fy mywyd ... fy nghydwybod a'm hanrhydedd. Pe byddwn wedi prisio fy mywyd uwchlaw fy nheyrnas, fe fyddwn wedi f'amddiffyn fy hun ... Efallai y byddwn wedi gohirio'r ddedfryd yr wyf yn gwybod y byddwch yn ei rhoi arnaf.

JOHN DOWNES: Ai calonnau o gerrig sydd gennym? Pa fath o ddynion ydym?
[Un o'r barnwyr]

OLIVER CROMWELL: Beth sy'n bod arnoch? A ydych wedi gwirioni? Eisteddwch i lawr a byddwch yn dawel.

DOWNES: Ni allaf fod yn dawel. Mae'n rhaid i mi ei wneud hyd yn oed os yw yn peryglu fy mywyd. Nid wy'n fodlon cytuno â'r ddedfryd a gofynnaf i'r Llys ohirio i glywed fy rhesymau.
[Gohirio'r Llys am hanner awr]

BRADSHAW:	Syr, rwy'n eich cyhuddo o dorri eich cytundeb gyda'ch pobl. Fel y brenin, rydych wedi tyngu i amddiffyn eich pobl ... ond rydych wedi torri'r cytundeb hwn, yr addewid hwn. Syr, fe'ch galwyd yn ormeswr, yn fradwr, yn llofrudd ac yn elyn i'r Gymanwlad. Rwy'n pwyso arnoch i erfyn am faddeuant Duw.
Y BRENIN:	Gadewch i mi ymateb i gyhuddiadau mor ddifrifol.
BRADSHAW:	Hyd yn hyn, rydych wedi gwrthod cydnabod bod y Llys hwn yn gyfreithlon, ac wedi anwybyddu'r cyfle i'ch amddiffyn eich hunan. Gwrthodir caniatâd i chi siarad.
CLERC Y LLYS:	[Yn darllen y cyhuddiad] ... am bob teyrnfradwriaeth a throsedd, mae'r Llys yn barnu y dylid dedfrydu Siarl Stiwart, gormeswr, bradwr, llofrudd a gelyn cyhoeddus, i farwolaeth, drwy dorri ei ben o'i gorff.
Y BRENIN:	Syr, a ganiatewch i mi yngan gair?
BRADSHAW:	Nid oes gennych hawl i wrandawiad ar ôl i'r ddedfryd gael ei phasio.
Y BRENIN:	Na Syr!
BRADSHAW:	Na Syr! Warchodwyr, ewch â'r carcharor.
Y BRENIN:	Syr, gadewch i mi siarad ... os na chaf wrandawiad, pa obaith am gyfiawnder fydd gan fy mhobl.

[Hebryngir y BRENIN SIARL ymaith]

B Darlun o'r dienyddiad gan artist Ffrengig (tua'r 1650au)

C Tudalen deitl pamffled a ysgrifennwyd gan ddienyddiwr y brenin (1649)

1 a) Yn eich barn chi, a gafodd Siarl I brawf teg? Eglurwch eich ateb.
   b) Pa un o'r geiriau hyn sy'n disgrifio cymeriad Siarl I orau?

   ffroenuchel   cryf   difeddwl
   styfnig   dewr   balch

   c) I ba raddau y gellir beio Siarl am ei farwolaeth ei hun?
   d) A oedd yn rhaid dienyddio Siarl? A oedd yna unrhyw opsiynau eraill?

2 a) A gredwch chi fod Siarl yn euog neu yn ddieuog?
   b) Yn eich barn chi, a oedd Siarl yn haeddu cael ei ddienyddio? Eglurwch eich atebion yn y ddau achos.

3 Darllenwch ffynhonnell C. Chi yw Richard Brandon. Ar sail y wybodaeth sydd ar y dudalen deitl, defnyddiwch eich dychymyg i ysgrifennu'r gyffes y gallai fod wedi'i hysgrifennu ychydig cyn ei farwolaeth yn 1649.

14 Mae'r brenin yn farw, hir oes i ...?

A Cartŵn propaganda Brenhinol yn dangos Cromwell a'i lywodraeth yn gweithio gyda'r diafol

Ar 30 Ionawr 1649, dienyddiwyd y Brenin Siarl I. Cyhoeddodd y Senedd a'i harweinydd Oliver Cromwell nad oedd modd trystio brenin na brenhines. Felly daeth Cymru a Lloegr yn **weriniaeth** heb frenin na brenhines, a'r Senedd yn rheoli.

Ni wastraffodd yr Aelodau Seneddol Piwritanaidd ddim amser. Cyn hir, roedden nhw wedi diddymu'r frenhiniaeth, Tŷ'r Arglwyddi a'r Eglwys Anglicanaidd. Ond roedd ar Dŷ'r Cyffredin angen arian i redeg y wlad. Felly, codwyd trethi, rhoddwyd dirwyon i'r Brenhinwyr a gwerthwyd tiroedd y Goron a oedd wedi'u hatafaelu. Roedd hyn yn gwylltio rhai bobl ond allen nhw wneud dim i'w rwystro. Roedd gan y Senedd gefnogaeth y fyddin.

Yn 1653 cwerylodd Tŷ'r Cyffredin a'r fyddin. Credai nifer o Aelodau Seneddol fod y fyddin yn dod yn rhy bwerus. Credai'r fyddin fod yr Aelodau Seneddol wedi methu yn eu haddewid i wella'r wlad.

Oliver Cromwell oedd y gŵr mwyaf pwerus yn y wlad. Roedd yn Aelod Seneddol ac yn gadfridog yn y fyddin. Roedd Cromwell wedi cael llond bol ar y Senedd ac felly cefnogodd y fyddin. Caewyd y Senedd ac anfonwyd yr Aelodau Seneddol adref.

Cafodd Cromwell gynnig Coron Lloegr. Gwrthododd. Ond derbyniodd y teitl Arglwydd Amddiffynnydd y **Gymanwlad**. Doedd arno ddim eisiau rheoli'r wlad fel y gwnaeth yr hen frenin. Credai mewn rhyddid ac roedd arno eisiau i bobl rannu cyfoeth cyffredin y wlad. Ceisiodd hyd yn oed sefydlu Senedd newydd. Credai Cromwell hefyd mewn goddefgarwch crefyddol. Ac eithrio'r Pabyddion yr oedd y Piwritaniaid yn eu casáu, rhoddwyd yr hawl i bobl addoli fel yr oedden nhw'n dymuno.

Rheolodd Cromwell Gymru a Lloegr am bum mlynedd rhwng 1653 ac 1658. Roedd ei lywodraeth yn amhoblogaidd. Digiodd y Piwritaniaid eithafol oherwydd roedden nhw'n credu ei fod yn rhy oddefol. Doedd y Brenhinwyr ddim yn ei drystio a gwrthododd y Senedd gydweithio gydag ef.

Teimlai Cromwell nad oedd ganddo unrhyw ddewis ond rheoli gyda chefnogaeth y fyddin. Rhannodd Gymru a Lloegr yn 11 rhanbarth, a rhoddodd bob un ohonynt yng ngofal Is-gadfridog. Roedd rhai o'r llywodraethwyr milwrol hyn yn Biwritaniaid eithafol.

B Cartŵn yn dangos Siôn Corn (1653). Diddymodd y Piwritaniaid yr hawl i ddathlu'r Nadolig

> *Roedd Cromwell yn arweinydd naturiol. Roedd pobl - Brenhinwyr hyd yn oed - yn ymddiried ynddo ac yn ei edmygu. Yn fwy na dim, gwyddai pobl pa mor llwyddiannus ydoedd; roedd bonheddwr gwledig digon cyffredin wedi dod yn rheolwr gwlad bwerus! Credai pobl yn sicr mai gwaith Duw ydoedd.*

C Joe Scott (1992)

Roedden nhw'n ceisio gorfodi pobl i dderbyn eu ffyrdd a'u syniadau hwy. Cafodd gamblo a chwaraeon poblogaidd fel ymladd ceiliogod, abwydo eirth a rasio ceffylau eu gwahardd. Gwaharddwyd canu a dawnsio a chaewyd theatrau.

Ar y llaw arall, llwyddodd yr Is-gadfridogion i gadw cyfraith a threfn. Gwnaeth Cromwell nhw'n gyfrifol am sefydlu system i addysgu a gofalu am y tlawd. Sefydlwyd ysbytai i ofalu am yr henoed a'r claf, a gwnaed gwelliannau i'r carchardai.

Pan fu farw Cromwell yn 1658, ei fab Richard oedd yr Arglwydd Amddiffynnydd. Doedd ar Richard ddim eisiau'r swydd, a doedd eraill ddim am iddo ei chael, ac ar ôl blwyddyn, fe ymddiswyddodd. Ei lysenw oedd 'Tumbledown Dick'. Roedd pobl Cymru a Lloegr wedi cael digon ar reolaeth Biwritanaidd a milwrol. Gwahoddwyd mab Siarl I i ddod yn ôl fel y Brenin Siarl II. Roedd rheolaeth dan Weriniaeth, yr **Interregnum**, wedi dod i ben.

Barn rhai pobl am Cromwell

D Portread o Cromwell (1649)

Bu farw [Cromwell] ar Fedi 3ydd … Pan agorwyd ei gorff i'w eneinio, gwelwyd ei fod yn llawn o lygredd a budreddi, a oedd yn gryf iawn ac yn drewi … ond mae ei enw a'r cof amdano yn drewi fwy fyth.

E James Heath, Brenhinwr (1663)

Ni chanmolwyd ac ni feirniadwyd yr un gŵr fwy nag ef … Rhoddodd ei filwyr … [ganmoliaeth] uchel iddo hyd nes y dechreuodd geisio'r Goron … Credaf … ei fod yn ddigon gonest ar y cyfan, a'i fod yn dduwiol a [rhesymol] … hyd nes i ffyniant a llwyddiant ei lygru.

 F Richard Baxter, swyddog yn y fyddin (1696)

Ac weithiau gallaf ei farnu ar sail fy ngwybodaeth … sy'n fy sicrhau fod y Dyn hwn yn … llwfrgi … yn enwog am ddrygioni, yn uchelgeisiol a rhagrithiol.

 G Denzil Holles, Piwritan cul (1699)

Os nad yw Cromwell yn arwr cenedlaethol, derbynnir yn gyffredinol ei fod yn ffigwr pwysig yn ein hanes, y milwr - a'r gwleidydd - a roddodd derfyn ar y rhyfel cartref, a adferodd heddwch gartref a pharch dramor.

 H C V Wedgwood (1973)

1 **Edrychwch ar ffynonellau A a B.**
  a) Pa negeseuon mae'r cartwnau hyn yn ceisio'u cyfleu i'w darllenwyr?
  b) Pa mor ddefnyddiol yw cartwnau fel ffynonellau o wybodaeth?

2 **Darllenwch ffynonellau C, E, F, G a H.**
  a) Pa rai o'r ffynonellau hyn a ysgrifennwyd gan haneswyr modern a pha rai gan awduron y cyfnod?
  b) Sut benderfynoch chi?
  c) Ym mha ffyrdd y mae gwahaniaeth safbwynt rhwng haneswyr modern ac awduron cyfoes tuag at Cromwell?
  d) Awgrymwch resymau dros y gwahaniaethau hyn.
  e) Pa rai o'r awduron cyfoes fyddech chi'n eu hystyried fel y mwyaf dibynadwy a'r lleiaf dibynadwy?

Ymddangosodd y cartŵn hwn ar glawr blaen pamffled o'r enw *The World Turned Upside Down* (1640au diweddar)

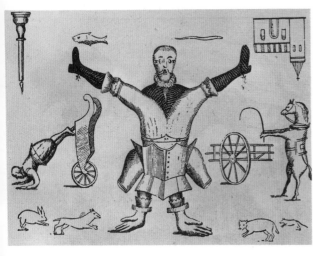

Rhoddi'r pen yn lle'r gloren (rhan ôl)
A rhoi'r gynffon ar y talcen
Tro a dadtro pob ychydig
Coigi (gwneud hwyl) yn fawr [am] bob gradd fonheddig.

B Fersiwn un bardd o'r byd wyneb i wared: *Hen Gerddi Gwleidyddol* (heb ddyddiad)

Since then the anti-christian crew
Be prest and overthrowne,
Wee'l teach the nobles how to crouch,
And keep the gentry downe;
Good manners hath an ill report,
And turnes to pride we see;
Wee'l therefore cry all manners
                         downe,
And hey then up go we.

C Ysgrifennodd bardd Saesneg y gerdd hon o'r enw 'The Round-heads Race' a gyhoeddwyd mewn pamffled o'r enw *The Distractions*

Cymru dan Cromwell

Doedd y Piwritaniaid ddim yn boblogaidd yng Nghymru. Doedd y bobl ddim yn hoffi'u crefydd na'u ffordd gul o fyw. Doedden nhw ddim yn hoffi cael eu rheoli gan Cromwell, ond wnaethon nhw ddim i'w rwystro.

Roedd y Cymry'n gwybod y gallai Cromwell fod yn greulon iawn i'r rhai a oedd yn ei erbyn, er enghraifft Pabyddion Iwerddon. Cafodd trefi Drogheda a Wexford eu dinistrio a lladdwyd mwy na 4,000 o'r trigolion. Anfonwyd llawer o rai eraill yn gaethweision i ynys Barbados yn India'r Gorllewin.

Roedd triniaeth Cromwell o Gymru yn wahanol. Credai mai pobl syml oedd y Cymry a oedd wedi'u harwain ar gyfeiliorn gan y boneddigion Brenhinol. Credai y bydden nhw'n dod yn Biwritaniaid ffyddlon pe bydden nhw'n cael addysg a phregethu da.

Yn 1650, pasiodd y Senedd Ddeddf Lledaenu (annog) a Phregethu'r Efengyl yng Nghymru. Roedd y Ddeddf hon yn bwysig oherwydd sefydlodd ysgolion lle roedd y bobl yn gallu dysgu am Dduw a chrefydd. Fe'u dysgodd i ddarllen hefyd.

Ar y llaw arall, cafodd y boneddigion Cymreig a oedd wedi cefnogi'r brenin yn ystod y rhyfel eu trin yn llym gan Cromwell. Cafodd nifer ohonyn nhw ddirwyon trwm neu atafaelu eu tiroedd (eu cymryd oddi arnynt). Collodd eraill swyddi o bwys a chafodd Piwritaniaid ffyddlon eu penodi yn eu lle.

James Berry oedd yr Is-gadfridog oedd yn gyfrifol am Gymru a siroedd gororau Lloegr. Bu Berry unwaith yn glerc mewn gwaith haearn yn sir Amwythig ac oherwydd hynny, roedd y cyfoethog a'r cyn-dirfeddianwyr pwerus yn ei gasáu. Roedden nhw'n credu bod dienyddio'r brenin a'r ffaith fod gwŷr fel Cromwell a Berry yn rhedeg y wlad wedi troi eu byd hwy wyneb i waered.

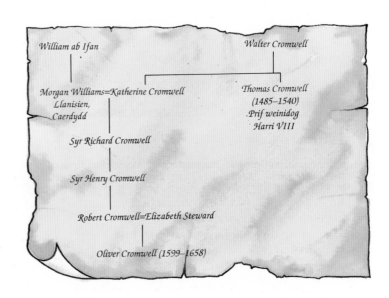

D Siart achau yn dangos cysylltiad Cymreig Oliver Cromwell

Roedd un mlynedd ar ddeg o reolaeth Weriniaethol wedi troi'r Cymry yn erbyn Cromwell. Roedd y cyfoethog a'r tlawd, fel ei gilydd, yn barod i groesawu'r frenhiniaeth yn ôl. Ond tra oedd Cromwell yn fyw, doedden nhw ddim yn meiddio gwneud dim.

Ar ôl iddo farw, newidiodd popeth. Yng ngogledd Cymru yn 1559, gwrthryfelodd Syr Thomas Myddleton o Gastell y Waun. Trechwyd y gwrthryfel gan ei fab a charcharwyd Myddleton am gyfnod byr. Yn Hwlffordd yn ne Cymru, aeth y crefftwyr (cryddion, hetwyr, gwehyddion a theilwriaid) ar streic. Mewn tafarn yn Llanddeiniolen, cyhoeddodd hen filwr Brenhinol o'r enw Lewis Morris yn gyhoeddus: 'twrd yn nannedd y genedl … ni fyddai ots gennyf pe crogid hwy a phob Pengrynwr'! Yn 1660 dychwelodd Siarl II ac adferwyd y frenhiniaeth.

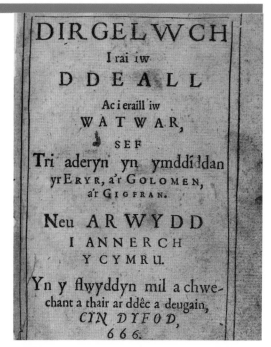

Tudalen deitl *Llyfr y Tri Aderyn* gan Morgan Llwyd

 Yn ei gyfrol *Llyfr y Tri Aderyn* mae Morgan Llwyd yn dychmygu sgwrs rhwng tri aderyn, sy'n cynrychioli Cromwell (yr Eryr), y Brenhinwyr (y Gigfran) a'r Piwritaniaid (y Golomen) (1653)

CIGFRAN: Ond pobl dwyllodrus ydynt hwy (y Piwritaniaid); hwy a ddywedant yn deg, ac a weddïant weddïau hirion, na thalant ddim wedi'r cwbl.

ERYR : Ni ofynnwn i'r golomen beth a ateb hi drosti'i hun. Beth a ddywedi di wrth hyn?

COLOMEN: Gwell yw na ddyweder dim wrth rai direswm; ond gwir yw, yr ydym ni yn ymgyfarfod yn fynych, yn dywedyd yn deg, yn ceisio gwneuthur daioni i bawb, a nyni a ewyllysiem pe gallem wneuthur yn well. Ac os gellir profi ein bod ni o'n bodd yn niweidio neb, cymer di, O! Eryr ddial arnom … Ac am y gweddïau hirion … di weli di dy hunan ein bod ni yn cael agos bob peth ar yr ydym ni yn 'i ofyn …

ERYR: Enwa un peth a gafodd y colomennod.

COLOMEN: Ni a weddiasom ar i ni y colomennod gael y llaw uchaf yn y rhyfel, ac am lawer peth arall, ac fe a'i rhoddwyd i ni.

CIGFRAN: Ai colomennod oeddych chwi yn amser y rhyfel? Tebycach i gythreuliaid o lawer.

COLOMEN: Gwir yw fod rhai adar afreolus wedi taro ar ein plaid, a'r rheini a wnaethant gamau drwy blundrio'r gwledydd.

CIGFRAN: Crawc. Mi glywn ar fy nghalon ladd y golomen wenieithus yma.

ERYR: Digon. Mi welaf y mynnit ti ddechrau rhyfel arall o newydd pe gellit. Digon yw hynny o ymladd; di gefaist dy guro yn fynych.

---

1 a) Pa ffynhonnell sy'n awgrymu bod gan bendefigion a bonheddwyr reswm i ofni bod dan reolaeth dynion fel James Berry? Eglurwch eich dewis.

b) Roedd James Berry yn llywodraethwr teg a llwyddiannus, pam felly roedd bonheddwyr Cymru yn ei gasáu cymaint?

c) Rhowch ddau reswm pam y byddai'r Cymry cyffredin hefyd yn ei gasáu.

d) Pa dystiolaeth yn y testun a'r ffynonellau sy'n awgrymu na fyddai Cromwell yn llwyddo i droi'r Cymry at Biwritaniaeth?

2 a) Edrychwch ar ffynhonnell A. Gwnewch restr o'r ffyrdd y mae'r arlunydd wedi dangos y byd wyneb i waered.

b) Darllenwch ffynhonnell E. Ai Cigfran neu Golomen oedd Morgan Llwyd, yn eich barn chi? Cefnogwch eich ateb gyda thystiolaeth o'r ffynhonnell.

c) Pam fyddai 'Llyfrau Adar' fel y rhain wedi bod yn boblogaidd yn amser Cromwell?

15

Cymru a'r Cymry:
iaith, diwylliant ac arferion

Mae'r ffordd o fyw yng Nghymru yn wahanol iawn i Loegr o ran bwyd a diod, gwisg a nifer o agweddau eraill. Mae'r bobl yn edrych yn drwsiadus iawn mewn crys, mantell a phâr da o drywsus i'w diogelu rhag y gwynt a'r glaw a'r oerfel. Gwisgant y dillad hyn i ymladd, i'w difyrru eu hunain, i neidio, i sefyll, i eistedd a hyd yn oed i gysgu, a hynny heb gynfasau ... mae'u coesau bob amser yn noeth. Gwisgant yr un dillad bob amser hyd yn oed pe baent yn mynd i weld y Brenin.

Gallant fynd yn hir heb fwyd [er] y gwyddant sut i wledda a mwynhau eu hunain. Cânt fara haidd poeth ac oer i'w fwyta yn ogystal â chacennau ceirch, sef bisgedi mawr crwn a thenau. Bwytânt ryw fath o rual gyda chennin, menyn, llaeth a chaws. Bwytânt yn awchus ac yfant lawer o fedd a chwrw cryf; drwy'r dydd a'r nos yn aml. Adroddant storïau disylwedd; gyda'u boliau'n llawn cwrw nid oes taw ar eu siarad. Cânt flas arbennig ar halen a chennin yn ystod eu pryd bwyd ac wedyn.

Cadwant eu harian a'u crib bob amser, gartref ac oddi cartref, ynghlwm wrth eu [trywsus]. Mae'n rhyfeddol eu bod mor ffyslyd a bod yn gas ganddynt dorri gwynt, a hwythau'n poeni dim am ollwng eu carthion wrth ddrws eu tai. Pan fydd gwledd, bydd yno delynau, tabyrddau (drymiau bychan) a phibau i'w difyrru. Maent yn hoff iawn o ddathlu achlysuron teuluol, hyd yn oed pan fo'r berthynas yn ymestyn yn ôl i'r ganfed ach.

Gwlad wedi'i choncro oedd Cymru yn yr 16eg ganrif. Cafodd ei harweinwyr mwyaf, gwŷr fel y Tywysog Llywelyn ap Gruffudd ac Owain Glyndŵr, eu gorchfygu neu eu lladd gan y Saeson. Daeth nifer mawr o Saeson i Gymru i fyw. Doedd y rhan fwyaf ohonynt ddim yn deall y Cymry na'u harferion na'u diwylliant. Weithiau byddai gwrthdaro rhwng y Saeson a'r Cymry.

Gwelwyd newid yn y berthynas rhwng Cymru a Lloegr yn dilyn buddugoliaeth Harri Tudur yn Bosworth. Ar ôl 1485 aeth nifer mawr o Gymry i Loegr i fyw. O dan Harri VIII unwyd Cymru a Lloegr. Roedd yn rhaid i'r Cymry a'r Saeson ddysgu byw gyda'i gilydd.

A (chwith ac isod) John Caxton, argraffydd o Loegr, yn disgrifio'r Cymry yn ei lyfr The Description of Britain (1480)

Ystyriant hwy eu hunain uwchlaw pawb arall, er bod ganddynt [barch] mawr i offeiriaid ac anrhydeddant weision yr Arglwydd Dduw fel pe baent yn angylion nefol.

Mae ymarweddiad anwaraidd y Celtiaid wedi gwella yn sgil eu cyswllt â'r [Saeson]. Cadwant erddi, caeau a llethrau a dônt ynghyd mewn trefi dymunol. Ânt o gwmpas wedi'u harfogi'n llawn, gan wisgo llodrau ac esgidiau. Eisteddant yn siriol i fwyta eu prydau bwyd a chysgant mewn gwelyau cysurus. I'r sawl a fydd yn eu gwylio, edrychant yn debycach i Saeson nag i Gymry. A'r rheswm am hynny yw eu bod bellach yn byw yn fwy heddychlon nag oedd eu harfer.

B Cerflun modern yn dangos gwisg bonheddwr a bardd o Gymro, Dafydd ap Gwilym, o'r bedwaredd ganrif ar ddeg

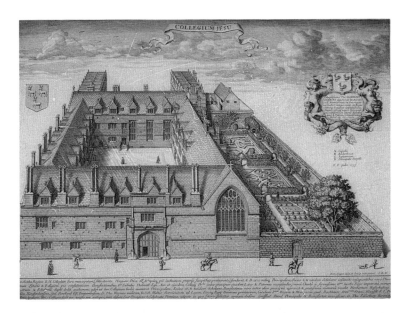

C Llun cyfoes o Goleg Iesu, Rhydychen. Sefydlwyd y coleg yn 1571 gan Hugh Price, Aberhonddu ar gyfer myfyrwyr o Gymru

Mawl fo i'r Arglwydd fod gennyt rieni cydwybodol i dy anfon di i Rydychen, prifysgol enwog, ffynhonnell … pob gwybodaeth. Bydd i ti gwmnïa gyda myfyrwyr gonest sy'n casáu drwg weithredoedd megis yfed ac ysmygu … Paid â siarad Cymraeg gyda neb all siarad Saesneg, … bydd i ti gwmnïa gyda Saeson myfyrgar, gonest yn hytrach na gyda dy gyd-wladwyr sy'n fwy tueddol o ddiogi a chamymddwyn na'r Saeson.

D Llythyr gan William Wynn o Lyn Cywarch, Meirionnydd, at ei fab Cadwaladr ym Mhrifysgol Rhydychen (tua 1638)

Canys chwi a gewch rai cyn gynted ag y gwelant afon Hafren neu glochdai Amwythig, a chlywed Sais yn dweud unwaith, 'Good morrow', a ddechreuant ollwng eu Cymraeg tros gof … eu Cymraeg a fydd Seisnigaidd, a'u Saesneg (Duw a ŵyr) yn rhy Gymreigaidd. A hyn sy'n dod naill ai o wir ffolineb, neu o goeg falchder … Canys ni welir fyth yn ddyn … rhinweddol mo'r neb a wado … na'i wlad na'i iaith.

E Ysgrifennodd Gruffydd Robert, clerigwr Pabyddol ac ysgolhaig a alltudiwyd i'r Eidal yn ystod oes Elisabeth, lyfr gramadeg Cymraeg (1567). Yn ei ragarweiniad i'r llyfr mae'n sôn am ddylanwad y Saesneg yng Nghymru

F Llun Hugh Price, Aberhonddu, yswain

1 Darllenwch ffynhonnell A. Casglwch wybodaeth am yr agweddau canlynol ar Gymru a'r Cymry:
   a) gwisg;
   b) bwyd a diod;
   c) adloniant/hamdden.
   Ysgrifennwch eich atebion o dan y penawdau uchod yn eich llyfrau.

2 Darllenwch ffynhonnell A eto.
   a) Ysgrifennwch unrhyw ffeithiau i lawr.
   b) Ysgrifennwch unrhyw safbwyntiau i lawr.
   c) Eglurwch sut aethoch ati i benderfynu a oedden nhw'n safbwyntiau yn hytrach na ffeithiau.
   d) Yn eich barn chi, pa mor ddibynadwy yw ffynhonnell A?

3 a) Eglurwch sut y mae ffynonellau D ac E yn cefnogi barn Caxton am y Cymry.
   b) Yn eich geiriau eich hun, eglurwch pam yr oedd Gruffydd Robert yn beirniadu'r Cymry.
   c) Sut y mae ffynonellau D ac E yn gwrth-ddweud ei gilydd?
   d) A oes rhywbeth anarferol yng nghyngor William Wynn i'w fab? Eglurwch eich ateb.

A Portread o William Herbert, Iarll cyntaf Penfro (1557)

Yr iaith, ei hysgolheigion a'i llyfrau

Er i Gymru, efallai, golli ei hannibyniaeth, ni chollodd mo'i hunaniaeth. Roedd cadw ei hunaniaeth yn dibynnu ar barhad yr iaith. Yn yr 16eg ganrif roedd dros 90 y cant o bobl Cymru yn siarad Cymraeg. Cymraeg yn unig roedd y rhan fwyaf o'r Cymry yn ei siarad, doedden nhw ddim yn deall nac yn siarad Saesneg. Felly, yn annhebyg i rai o'r bonedd, roedd gan y werin bobl ddiwylliant, traddodiad ac iaith a oedd yn wahanol i'w cymdogion dros y ffin.

Er i rai o'r bonedd yng Nghymru fabwysiadu ymarweddion, arferion ac iaith y Saeson, arhosodd llawer ohonynt yn driw i'w Cymreictod. Roedd William Herbert, Iarll Penfro, yn feistr tir cyfoethog a phwerus. Daeth ef, ynghyd ag eraill, yn **noddwyr** i'r diwylliant a'r iaith frodorol. Cymraeg oedd ei famiaith a siaradai Gymraeg bob amser yn hytrach na'r Saesneg - hyd yn oed yng ngŵydd y Frenhines Elisabeth. Yn ffodus iddo ef, ni hidiai ddim. Roedd Elisabeth wedi dysgu rhywfaint o Gymraeg a gallai, efallai, ddeall yr hyn a ddywedai.

Cafodd y traddodiad diwylliannol a'r iaith eu cadw'n fyw gan weithiau ysgolheigion mawr a beirdd dawnus. Ysgrifennai ysgolheigion megis Syr John Price, William Salesbury, y Parchedig Edmwnd Prys a'r Esgob Richard Davies lyfrau yn Gymraeg neu eu cyfieithu i'r Gymraeg. Efallai mai ysgolhaig enwocaf Cymru yn oes Elisabeth oedd yr Esgob William Morgan. Ei gyfieithiad ef o'r Beibl i'r Gymraeg sydd wedi sicrhau parhad yr iaith.

Ysgrifennai ysgolheigion eraill lyfrau ar ramadeg Cymraeg. Ysgrifennwyd y llyfr cynharaf gan Gruffydd Robert yn 1567. Wedi hynny cafwyd llyfrau gan Siôn Dafydd Rhys yn 1592, Henry Salesbury yn 1593 a Dr John Davies, Mallwyd yn 1621. Cynhyrchwyd geiriaduron Cymraeg-Saesneg hefyd ar yr adeg yma.

Un o'r llyfrau mwyaf poblogaidd i'w gyhoeddi yn Gymraeg yng nghyfnod y Stiwartiaid oedd *Canwyll y Cymru*. Fe'i hysgrifennwyd gan y ficer Rhys Prichard, Llanymddyfri, yn ystod yr 1640au ar gyfer gwerin bobl Cymru. Roedd ynddo rigymau bachog a storïau

> *Am hynny gweddus yw rhoi yn Gymraeg beth o'r Ysgrythur lân, o herwydd bod llawer o Gymry a fedr ddarllen Cymraeg heb fedru darllen un gair o Saesneg na Lladin, ac yn enwedig y pynciau sy'n angenrheidiol i bob rhyw Gristion eu gwybod dan berygl ei enaid, … mi a feddyliais er cariad fy ngwlad roi iddynt y pynciau hyn yn Gymraeg er dangos blas iddynt o felyster ewyllys Duw ac er cadw eu heneidiau …*

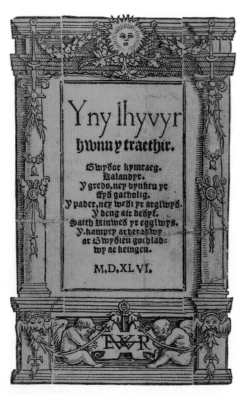

B Yny lhyvyr hwnn (1546/47) gan Syr John Price

C Cyhoeddodd Syr John Price, Aberhonddu (1502-55) y llyfr cyntaf i'w argraffu yn Gymraeg, *Yny lhyvyr hwnn* yn 1546/47. Swyddog i'r llywodraeth oedd Price ac roedd hefyd yn ysgolhaig. Ef oedd yn gyfrifol am y cyfieithiad cyntaf o Weddi'r Arglwydd yn Gymraeg

poblogaidd o'r Beibl. Yr enw poblogaidd arno oedd 'Llyfr Ficer Prichard' ac roedd yn llwyddiant ysgubol.

Yn ddiweddarach aeth ysgolheigion ati i gyhoeddi llyfrau Cymraeg ar bynciau megis gwyddoniaeth, daearyddiaeth a hanes. Yn 1716 cyhoeddodd Theophilus Evans ei lyfr poblogaidd ond unochrog ar hanes Cymru, *Drych y Prif Oesoedd*.

Erbyn diwedd y 18fed ganrif fodd bynnag roedd yr iaith Gymraeg yn dirywio. Roedd llai a llai o lyfrau Cymraeg yn cael eu cyhoeddi. Ychydig o gefnogaeth a ddangosai'r bonedd cefnog a oedd i bob pwrpas wedi cefnu ar eu hiaith a'u diwylliant cynhenid. Roedd yn rhaid i'r to newydd o ysgolheigion ymladd i gadw'r ffordd Gymreig o fyw.

G Llun yn dangos argraffwyr wrth eu gwaith (1560). Gyda dyfeisio gweisg argraffu gallai mwy o lyfrau gael eu cyhoeddi, a hynny'n rhatach, nag yn yr oesoedd canol. Rhwng 1547 a 1730, cyhoeddwyd bron 700 o lyfrau Cymraeg

---

Mae'r Beibl bach yn awr yn gyson
Yn iaith dy fam, i'w gael er coron (25c)
Gwerth dy grys cyn bod heb hwnnw,
Mae'n well na thref dy dad i'th gadw.

D Pennill gan Rhys Prichard yn *Canwyll y Cymru* (1640au) am y 'Beibl bach' (1630)

Y llyfr hwn, ynghyd â'r Beibl, oedd fy llyfr darllen cyntaf. Darllenais y rhigymau garw a dirodres hyd nes y gallwn eu hailadrodd ar fy nghof. Bu'n gydymaith cyson i fy hen nain. Er gwaetha'i hoed gallai ddarllen y print bras heb sbectol, a dim ond pan fyddai'n gweu y byddai Llyfr y Ficer Prichard yn cael ei roi i lawr.

E Rhan o *Hunangofiant Robert Roberts* (tua'r 1860au). Awdur a chlerigwr oedd Roberts a châi ei adnabod fel Y Sgolor Mawr

Duw a helpo bobl ddwl ... a llyfr gwych, meddan nhw, yw Llyfr Ficer Prichard, ydy wir, meddwn i, y mae'n llyfr ardderchog ... O, Dduw, trugarha wrthym, y fath bobl ddwl ag ydym.

F Dyma oedd gan Lewis Morris, bardd ac ysgolhaig enwog o sir Fôn, i'w ddweud am lyfr y Ficer Prichard (1760au)

---

1 Pa ffynonellau sy'n ddefnyddiol i ddysgu am y canlynol:
   a) Pam y cafodd y llyfrau hyn eu hysgrifennu a'u cyfieithu;
   b) Pa fath o olwg oedd ar y llyfrau Cymraeg cynnar hyn;
   c) Sut y cafodd y llyfrau hyn eu gwneud;
   d) Pam roedd y llyfrau hyn mor boblogaidd;
   e) Sut y bu'r cyfieithiad o'r Beibl a llyfr Rhys Prichard yn help i achub yr iaith Gymraeg;

Eglurwch eich dewis ym mhob achos.

2 a) Darllenwch ffynhonnell C. Rhowch dri rheswm pam y cyhoeddodd Syr John Price y llyfr hwn.
   b) Darllenwch ffynhonnell F. Yn eich barn chi, ydy Lewis Morris yn canmol neu'n beirniadu llyfr Ficer Prichard? Eglurwch eich ateb.

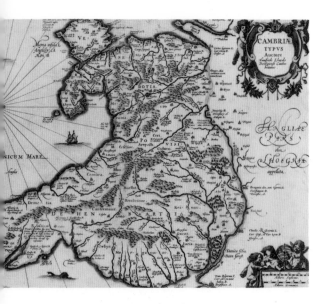

Beirdd ac eisteddfodau

Yr ysgolheigion uchaf eu parch a mwyaf dylanwadol yng Nghymru oedd y beirdd. Beirdd proffesiynol oedden nhw a allai olrhain eu hachau yn ôl i'r oesoedd canol. Roedd y Gogynfeirdd neu Feirdd y Tywysogion wedi difyrru llysoedd brenhinol y Deheubarth, Gwynedd a Phowys mewn barddoniaeth ac ar gân. Yn dilyn concwest Cymru a marwolaeth Tywysogion Cymru, cafodd y beirdd noddwyr newydd a oedd yn barod i'w gwobrwyo am eu celfyddyd; yr Uchelwyr neu'r bonedd.

Roedd yn rhaid hyfforddi am saith mlynedd cyn bod yn gymwys i fod yn fardd. Byddai'r beirdd newydd yn bwrw eu prentisiaeth wrth droed y beirdd proffesiynol. Dilynent hwy wrth iddynt deithio o gwmpas y wlad o'r naill dŷ i'r llall. Drwy hyn byddai noddwyr eu meistri yn dod yn gyfarwydd â hwy hefyd.

Roedd y beirdd yn boblogaidd am eu bod hefyd yn difyrru'r werin bobl. Roedd dyfodiad bardd i'r pentref yn destun dathlu. Mewn oes pan na allai ond ychydig o bobl ddarllen, roedd gwaith y beirdd, ar lafar ac ar gân, yn bwysig iawn. Byddent nid yn unig yn difyrru ond hefyd yn dod â newyddion o'r byd mawr y tu allan.

Roedd gan y beirdd y pŵer i ddylanwadu ar bobl drwy ledaenu syniadau newydd a phropaganda. Eu cefnogaeth nhw, i raddau helaeth, a fu'n gyfrifol am lwyddiant gwrthryfel Owain Glyndŵr a buddugoliaeth Harri Tudur yn Bosworth. Nid anghofiodd Harri Tudur byth mo'i ddyled i'r beirdd. Yn ystod ei deyrnasiad byddai llys brenhinol y Tuduriaid bob amser yn dathlu Dydd Gŵyl Dewi. Ar y diwrnod hwnnw câi beirdd a cherddorion, telynorion yn arbennig, eu gwahodd i Lundain i ddiddanu'r brenin.

A Map o Gymru a luniwyd gan Humphrey Llwyd, ysgolhaig a daearyddwr o Gymro (1573)

Ag yn Ffrainc ar fainc, oer f'ais
Ag eilwaith Sbaen mi gwelais,
Ag yn Ysgotland ganwaith
Ar lled, yn gweled ei gwaith,
Ag yn y Werddon onest,
Fy nghwyn, yn rhywag fy nghest.

B Ysgrifennodd Tomos Prys y gerdd hon am ei brofiadau fel milwr yn Ewrop (tua 1600)

D Portread o Catrin o Ferain (Sir Ddinbych) (1568). Cyfansoddodd y beirdd nifer o gerddi i'w hanrhydeddu. Câi ei galw'n Fam Cymru

C Roedd y beirdd yn ymweld yn rheolaidd â thai bonedd tebyg i Gastell Beaupre, ger y Bont-faen

Byddai'r beirdd yn aml yn dod ynghyd mewn cyfarfodydd a gâi galw'n eisteddfodau. Byddent yn cystadlu yn erbyn ei gilydd am wobrau megis y teitl Pencerdd, sef y prif fardd. Roedd hefyd yn gyfle iddynt gwrdd â'i gilydd, rhannu syniadau a sicrhau bod y safonau'n cael eu cynnal. Yn ystod yr eisteddfodau hyn byddai'r prentis o fardd yn cael ei roi ar brawf tebyg i arholiad.

Roedd eisteddfodau lleol yn cael eu cynnal yn weddol reolaidd ond cynhaliwyd y tair eisteddfod bwysicaf yn genedlaethol yng Nghaerfyrddin yn 1451 ac yna yng Nghaerwys yn 1523 ac yn 1568. Roedd yr ail eisteddfod yng Nghaerwys yn arbennig o bwysig am i'r Frenhines Elisabeth ei hun orchymyn ei chynnal.

Roedd newid ar droed fodd bynnag. Ni ddaeth dim o'r ymdrechion i gynnal eisteddfod arall yng Nghaerwys yn 1594. Erbyn dechrau'r ail ganrif ar bymtheg roedd y traddodiad barddol ar drai. Roedd nifer o'r beirdd mawr tebyg i Gruffudd Hiraethog, William Llŷn, Simwnt Fychan, William Cynwal a Siôn Tudur wedi marw. Doedd y beirdd newydd ddim mor dda ac roedden nhw'n gwrthod newid. Roedd llawer o'u barddoniaeth yn perthyn i oes a fu a doedd y bonedd ddim mor hoff o'u harddull hen ffasiwn neu roedden nhw wedi Seisnigo mwy o ran eu hiaith a'u harferion. Pryderai beirdd tebyg i Edwart ap Raff am hyn a chwynodd fod 'pawb yn y byd wedi troi'n Saeson'.

Rhaid oedd aros tan 1789 am yr eisteddfod fawr nesaf. Erbyn hyn roedd y bobl addysgedig, unwaith eto, yn dangos diddordeb yn yr hen draddodiad barddol. Dyma ddechrau'r eisteddfodau modern rydym ni'n gyfarwydd â hwy heddiw.

Cawsom ar ddeall … bod personau crwydrol a segur yn galw eu hunain yn finstreliaid, rhigymwyr a beirdd wedi cynyddu'n ddiweddar i'r fath rif … o fewn … ogledd Cymru fel bod nid yn unig boneddigion yn aml yn cael eu blino gan eu hanhrefn digywilydd ond bod minstreliaid a cherddorion cyfarwydd mewn tafod a chelfyddyd hwythau, o'r herwydd, yn gwangalonni rhag teithio i ymarfer eu gwybodaeth. O wybod eich bod yn wŷr doeth ac union a'ch bod yn brofiadol ac yn wybodus yn y maes, fe'ch penodir chi a'ch awdurdodi … i ddod o hyd i [feirdd] a fydd yn deilwng.

 Gorchymyn gan y Frenhines a'r Cyfrin Gyngor i Syr Richard Bulkeley, Syr Rhys Gruffydd, Ellis Price a William Mostyn, ysweiniaid, i drefnu Eisteddfod Caerwys (1568)

Ni allai'r gadwyn ddal y straen yn hwy
Wrth i Glyndŵr fel llew ei thorri'n ddwy,
Ac o flaen ei fyddin lew, y Sais ar ffo
Mor llwfr a chalon-wan â llo.

 Mae cerddi tebyg i hon a gyfansoddwyd yn wreiddiol yn Saesneg gan Evan Evans yn adlewyrchu'r adfywiad yn niwylliant Cymru: *The Love of Our Country* (1772)

---

1 a) Rhowch dri rheswm pam yr oedd y beirdd mor boblogaidd.

   b) Rhowch dair enghraifft i ddangos pŵer a dylanwad y beirdd.

   c) Eglurwch pam yr oedd dirywiad yn nifer y beirdd a'r traddodiad barddol yn yr ail ganrif ar bymtheg.

2 Darllenwch ffynhonnell E.

   a) Pam y gorchmynnodd y Frenhines Elisabeth gynnal Eisteddfod Caerwys yn 1568?

   Rhestrwch yr holl resymau y gallwch eu gweld yn y ffynhonnell.

   b) Yn eich barn chi, pa reswm fyddai'r pwysicaf yng ngolwg Elisabeth? Eglurwch pam.

3 a) Yn eich barn chi, pa mor bwysig oedd yr eisteddfod yn sicrhau parhad y diwylliant a'r traddodiad Cymreig a'r iaith Gymraeg?

   b) Pa mor bwysig yw'r eisteddfod ym mywyd a diwylliant Cymru heddiw?

Υr Adferiad a'r chwyldro

16

A Tynnwyd i lawr rybuddion tebyg i'r uchod a roddwyd ar y gamfa i'r fynwent gan wardeniaid Llanfair Disgoed yn sir Fynwy yn ystod teyrnasiad Siarl II

B Darlun cyfoes o Siarl II fel noddwr y Gymdeithas Frenhinol

C *(isod)* Peintiwyd y llun hwn gan arlunydd o'r Iseldiroedd a oedd yn llygad-dyst i'r tân

Gyda'r Adferiad yn 1660 gwelwyd hefyd y frenhiniaeth yn dod yn ei hôl. Ar ôl rheolaeth gaeth y Piwritaniaid, cafodd Siarl II groeso gan bobl Cymru a Lloegr. Yn 1660 hefyd, fodd bynnag, gwelwyd rhai o'r hen broblemau yn dychwelyd; crefydd a'r Senedd.

Roedd Siarl yn benderfynol o beidio â cholli ei ben. Roedd yn awyddus i weithio gyda'r Senedd ond gwrthodai gael ei reoli ganddi. Roedd y Senedd wedi'i rhannu. Roedd rhai Aelodau Seneddol yn amheus o'r brenin. Ffurfiwyd grŵp neu blaid a'u galw eu hunain yn **Chwigiaid**. Roedd yna garfan arall, y **Torïaid**, a gefnogai'r brenin.

Ni allai'r brenin a'r Senedd gytuno ar ddau brif bwynt; arian a chrefydd. Dywedai'r brenin nad oedd y £1 filiwn a gâi bob blwyddyn yn ddigon i redeg y wlad. Gwrthodai'r Senedd roi mwy iddo.

Pabydd oedd y brenin ond ni fyddai'n arddel ei grefydd yn gyhoeddus. Gwyddai na fyddai ei ffydd yn boblogaidd mewn gwlad Brotestannaidd. Roedd Siarl am i'r bobl addoli fel y mynnent. Byddai hyn yn cynnwys y Pabyddion, y Piwritaniaid ac unrhyw grŵp crefyddol arall.

Doedd y Senedd ddim mor oddefgar. Roedd wedi cefnogi adfer yr Eglwys Anglicanaidd yn 1660. Rhwng 1661 a 1665 pasiwyd nifer o Ddeddfau yn erbyn yr **Anghydffurfwyr** hyn - am nad oedden nhw'n cefnogi Eglwys Loegr. Roedd Siarl yn ddig ond cadw'n dawel a wnaeth. Gwyddai na allai anwybyddu'r Senedd felly ceisiai osgoi gwrthdaro.

Roedd teyrnasiad Siarl II yn gwbl wahanol i reolaeth y Piwritaniaid. Câi Siarl ei alw y Brenin Llon oherwydd ei sirioldeb a'i hwyl. Aeth ati i annog y ddrama, cerddoriaeth a chwaraeon megis pêl-droed.

Mae teyrnasiad Siarl II yn cael ei chysylltu'n bennaf â dau ddigwyddiad. Y cyntaf oedd y Pla Du yn 1665 pryd y bu farw mwy na 70,000 o bobl yn Llundain. Yr ail oedd Tân Mawr Llundain yn 1666. Bu'n llosgi am wythnos ond dim ond 20 o bobl a fu farw.

Yn 1685 bu farw Siarl II. Ni chafodd blant i'w olynu gan ei wraig felly perswadiodd y Senedd i dderbyn ei frawd Iago yn frenin. Yn annhebyg i Siarl, doedd Iago II ddim yn ddewis poblogaidd. Yn debyg i'w dad, Siarl I, credai Iago yn Nwyfol Hawl Brenhinoedd. Aeth yn ffrae rhyngddo ef a'r Senedd a cheisiodd reoli hebddi.

Roedd Iago hefyd yn Babydd ond yn wahanol i'w frawd roedd yn gwbl agored ynglŷn â'i ffydd. Roedd y bobl wedi'u cythruddo. O fewn rhai misoedd roedd yna wrthryfel. Yr arweinydd oedd Dug Mynwy, Protestant, mab i'w frawd a oedd yn un o 14 o blant anghyfreithlon. Methu a wnaeth.

Cosbwyd y gwrthryfelwyr yn llym a dienyddiwyd 250 ohonynt gan y Barnwr Jeffreys creulon. Ni ddangosai 'Barnwr y Crocbren', Cymro o Wrecsam, unrhyw dosturi. Trawsgludwyd 1,000 o wrthryfelwyr eraill i'r Dwyrain pell fel caethweision.

Ar ôl cyfnod o dair blynedd yn frenin roedd Iago wedi llwyddo i ddigio bron pawb. Anwybyddai'r Senedd, cynyddodd y fyddin a chafodd swyddi pwerus i'w ffrindiau Pabyddol. Unwaith eto, ymddangosai fel pe bai un o'r Stiwartiaid am achosi chwyldro arall. Digwyddodd yn yr hydref 1688.

Roedd merch Iago, Mari, wedi priodi Gwilym, tywysog Teulu'r Oren a reolai'r Iseldiroedd. Roeddent ill dau'n Brotestaniaid ac yn barod i weithio gyda'r Senedd yn hytrach nag yn ei herbyn. Cawsant eu gwahodd gan y Senedd i reoli'r frenhiniaeth ar y cyd. Glaniodd Gwilym yn Nyfnaint gyda byddin o 15,000. Ffôdd ffrindiau Iago ynghyd â'i fyddin ac aeth yntau i Ffrainc. Ni ddaeth byth yn ôl.

Hwn oedd y **Chwyldro** Gogoneddus. Cafodd yr enw hwnnw am na chafodd neb ei ladd. Roedd y Senedd yn benderfynol o gael pethau'n iawn y tro yma. Yn 1689 pasiwyd Mesur Iawnderau a ddywedai beth allai a beth na allai brenin ei wneud. Doedd gan Gwilym ddim dewis ond ei dderbyn. O hyn ymlaen, byddai gan y Senedd lais pwerus yn llywodraeth y wlad.

 (dde) **Beth a olygai'r Mesur Iawnderau i Gwilym a Mari**

D Portread cyfoes o Iago II

Ni fedrwch atal deddfau fel y mynnwch
Cofiwch eich bod wedi eich **dewis** gan y Senedd
Ni fedrwch fod yn Gatholig
Rhaid i chi **beidio** â chodi trethi heb ganiatâd y Senedd
Rhaid i chi gynnull y Senedd bob tair blynedd
Ni fedrwch gael byddin ar adeg o heddwch

1 Edrychwch ar ffynonellau B a D.
a) Pam y gallai ffynhonnell B fod wedi'i pheintio ar ôl 1662? Ewch at y bennod ar 'Ofergoeliaeth a Gwyddoniaeth' i'ch helpu i gael yr ateb.
b) Rhowch ddyddiad ar ffynhonnell D. Eglurwch sut y bu i chi benderfynu.
c) Cymharwch ffynonellau B a D. Sut y mae'r Brenin Siarl a'r Brenin Iago wedi'u portreadu (dangos) gan y gwahanol arlunwyr?
d) Ydych chi'n credu y gwnaed y penderfyniad i beintio'r ddau frenin fel hyn gan yr arlunydd ei hun neu gan y brenhinoedd eu hunain? Eglurwch eich ateb.

2 Yn eich barn chi, ydy lluniau a chartwnau tebyg i'r rhai a ddangosir yn y bennod hon yn fwy defnyddiol i haneswyr na ffynonellau ysgrifenedig neu'n llai defnyddiol? Eglurwch eich ateb.

3 Darllenwch y testun ac yna cymharwch Siarl II a'i frawd Iago II fel brenhinoedd.
a) Gwnewch restr o'r hyn sy'n debyg ac yn wahanol rhwng y ddau frenin.
b) Enwch ddau ddigwyddiad a gysylltir â theyrnasiad Siarl II.
c) Gwnewch yr un fath ar gyfer teyrnasiad Iago II.

17

Menywod y cyfnod

Dywedodd un hanesydd mai wedi'i hanner ysgrifennu y mae hanes. Y rheswm yw bod hanner y boblogaeth wedi'i anwybyddu; y menywod. Fel arfer, dim ond un bennod fydd ar hanes menywod mewn llyfrau hanes tebyg i hwn. Pam?

Ysgrifennwyd llawer o'n hanes gan ddynion am ddynion. Roedden nhw'n ysgrifennu am frenhinoedd, pendefigion, rhyfeloedd a gwleidyddiaeth. Prin y byddent yn ysgrifennu am fenywod oni bai eu bod yn freninesau megis Elisabeth (1558-1603) neu Anne (1702-1714). Pan fyddent yn gwneud hynny, fodd bynnag, byddent yn aml yn rhoi eu barn neu gyngor am y modd y dylai menywod ymddwyn. Byddai rhai dynion hyd yn oed yn ysgrifennu llyfrau i helpu dynion eraill osod rheolau ar gyfer eu gwragedd.

Gallai'r gŵr wneud fel y mynnai ond ni allai'r wraig. Dynion luniodd y gyfraith. Yn 1603 cyflwynodd y Senedd ddeddf gwlad newydd a ddywedai nad oedd gan fenywod hawl gyfreithlon i eiddo na rhyddid dewis ar ôl priodi. Roedden nhw a'u holl eiddo yn perthyn i'w gwŷr.

THE ENGLISH House-Wife,

CONTAINING

The inward and outward **Vertues** which ought to be in a Compleat Woman.

As her skill in *Physick, Chirurgery, Cookery, Extraction of Oyls, Banqueting stuff, Ordering of great Feasts, Preserving of all sort of Wines, conceited Secrets, Distillations, Perfums,* Ordering of *Wool, Hemp, Flax*: Making *Cloath* and *Dying*; The knowledge of *Dayries*: Office of *Malting*; of *Oats,* their excellent uses in Families: Of *Brewing, Baking,* and all other things belonging to an Houshold.

A Work generally approved, and now the Ninth time much Augmented, Purged, and made most profitable and necessary for all men, and the general good of this NATION.

By *G. Markham.*

LONDON,

Printed for *Hannah Sawbridge,* at the Sign of the *Bible* on *Ludgate-Hill.* 1683.

A The English House-wife (1673) gan Gervase Markham oedd un o lyfrau mwyaf poblogaidd y cyfnod. Roedd ynddo gyfarwyddyd i helpu dynion i hyfforddi eu gwragedd i fod yn wragedd tŷ da

B Ffrwyn tafodwraig. Câi hon ei defnyddio i gosbi gwragedd a fyddai'n hel clecs

---

Rhaid i [ŵr] ddygymod yn amyneddgar â chwerwder ei wraig, oherwydd does dim yn y byd yn fwy sbeitlyd na gwraig ddig. Rhaid i ŵr beidio â pheri anaf i'w wraig drwy air na thrwy weithred oherwydd creadur eiddil yw menyw. Does ganddi ddim cymaint o ddewrder cadarn â dyn. Rhaid i'r gŵr wneud yn siŵr fod ei wraig yn hapus ... neu bydd ganddi le i gecru Ond beth fydd gan y wraig i'w wneud? ...
Fel hyn y mae Sant Pedr yn siarad â gwragedd: 'Boed i wragedd fod yn ddarostyngedig i'w gwŷr'. Rhaid i'r [wraig] beidio â bod yn eiddigeddus nac amau ei gŵr os bydd oddi cartref.

C Syr William Vaughan o Langyndeyrn: *The Golden Grove* (1608)

Y wraig yw'r llestr gwannaf, yn fregus iawn ei chalon, yn anghyson ac yn hawdd iawn ei chythruddo.

D *The Homily on Marriage* (1562). Dyma ran o'r gwasanaeth eglwysig a gâi ei ddarllen ar y Sul

---

Rhaid i'r wraig gyd-dynnu â'i gŵr, hyd yn oed os bydd yn ei cham-drin. Rhaid i chi ymddwyn yn weddus, anwybyddu gwendidau eich gŵr a gweithio'n ddiwyd yn gofalu am y tŷ.

E Llythyr gan yr Arglwydd Halifax at ei ferch (1680)

Roedd gan hyd yn oed yr eglwys syniadau cryf ynglŷn â menywod. O gofio mai dyn oedd pob offeiriad ac esgob, dydy hyn ddim yn syndod. Roedd dysgeidiaeth yr eglwys yn ddylanwad grymus. Pregethai'r Piwritan, John Knox, yn erbyn rheolaeth gan fenywod. Cafodd Elisabeth ei digio gan ei bamffled, *The First Blast of the Trumpet against the Monstrous Regiment of Women* (1558).

Yn anffodus, fyddai menywod ddim yn ysgrifennu amdanynt eu hunain yn aml iawn. Prin oedd y menywod a allai ddarllen neu ysgrifennu. Ychydig iawn o gyfle a roddwyd iddynt gael addysg. Roedd disgwyl iddynt briodi, cael plant a gofalu am y tŷ.

Roedd yna eithriadau. Roedd Bathsua Makin yn ysgolhaig talentog, mewn mathemateg ac ieithoedd yn arbennig. Yn ystod teyrnasiad Siarl II agorodd ysgol i ferched a chyhoeddodd lyfr.

Mae dau fath o fenyw: mae rhai yn fwy doeth, yn fwy dysgedig ac yn fwy cyson na nifer o ddynion, ond mae rhai yn ymddwyn yn ffôl, yn fasweddus, yn ynfyd, yn eiddil, yn falch, yn gysetlyd, yn cario clecs ac ym mhob ffordd yn wehilion y domen dail.

F Rhan o bregeth yr Esgob Aylmer i'r Frenhines Elisabeth (1583)

G Y wraig ddawnus a'r gŵr diflas (1789)

Menywod … a grëwyd gan natur i gadw'r cartref ac i fwydo'r teulu a'r plant, ac nid i ymyrryd mewn materion [pwysig] …, nac i [ddal] swydd mewn dinas neu [gyngor] ddim mwy na phlant na babanod.

H Darn o lyfr Syr Thomas Smith, *De Republica Anglorum* (1565)

[Honna dynion] fod menywod yn brysur iawn â'u tafod … Eu tafod yw'r unig arf sydd gan fenywod i'w hamddiffyn eu hunain … ac mae'n rhaid iddynt ei ddefnyddio'n [gelfydd, oherwydd] os bydd menywod yn ffôl … gall dynion … eu gwneud yn gaethweision. Dylai [menywod] dreulio eu hamser yn cael eu dysgu am y pethau hynny a ddysgir fel arfer i Foneddigesau mewn ysgolion yn hytrach na threulio amser yn dysgu dawnsio, peintio eu hwynebau, trin eu gwallt a gwisgo eu cyrff. Pe bai menywod yn cael eu haddysgu rwy'n hyderus y byddai'r manteision yn niferus. Pan fydd menywod yn cael addysg maent yn aml yn dod yn gyfartal â dynion, weithiau'n rhagori arnynt.

I Detholiad o lyfr Bathsua Makin, *The Education of Women* (1673)

1 **Darllenwch ffynhonnell C.** A oes gan Syr William Vaughan feddwl mawr o fenywod ai peidio? Eglurwch eich ateb.

2 **Darllenwch ffynhonnell A.**
   a) Beth oedd y dyletswyddau yr oedd disgwyl i'r wraig tŷ 'berffaith' eu gwneud yn ôl Mr Markham? Defnyddiwch eiriadur i'ch helpu.
   b) Beth ddywed y ffynhonnell hon am ei agwedd at fenywod?

3 **Darllenwch y testun ac edrychwch ar ffynonellau C i H.**
   a) Pa ffynonellau sy'n awgrymu bod y gyfraith wedi'i llunio gan ddynion ac wedi'i gorfodi ar fenywod?
   b) Disgrifiwch agwedd yr Eglwys tuag at fenywod yn oes y Tuduriaid.
   c) Ydych chi'n meddwl y byddai'r Frenhines Elisabeth wedi cytuno neu anghytuno â Syr Thomas Smith ynglŷn â rôl menywod? Eglurwch eich ateb.

4 **Darllenwch ffynhonnell I.**
   a) Yn ôl Bathsua Makin pam nad oedd y rhan fwyaf o fenywod wedi cael addysg?
   b) Pwy meddai hi sy'n gyfrifol am hyn?
   c) Ydy'r fath agweddau at fenywod yn bod heddiw? Eglurwch eich ateb.

18 Ofergoeliaeth a gwyddoniaeth

A Un o'r lluniau cynharaf yn dangos gwrach ar gefn ysgub mewn llyfr Ffrangeg yn 1451

B Tudalen deitl llyfr yn dangos Matthew Hopkins yn archwilio gwrach honedig (1647)

... pan fydd y ddannoedd arnoch chi [dylech] fwyta llygoden 'wedi'i blingo a'i chwipio' ... dywedir bod pennau llygod wedi'u llosgi yn 'bowdwr da i sgwrio a glanhau'r dannedd a elwir yn sebon dannedd'. Roedd gwaed eliffant wedi'i gymysgu â llwch gwenci yn medru iacháu'r gwahanglwyf ... byddai darn o garn carw, wedi'i wisgo mewn modrwy, yn cadw'r perchennog rhag 'unrhyw ddrwg, cramp a ffitiau'.

C Detholiad o feddyginiaethau o'r 16eg ganrif. Dyfyniadau o M C Byrne: *Elizabethan Life in Town and Country* (1961)

Credoau syml iawn oedd gan bobl Cymru a Lloegr. Cawsant eu dysgu gan yr Eglwys i gredu yn Nuw, angylion a nefoedd. Roeddent hefyd yn credu yn y diafol, gwrachod ac uffern. Roedd pobl yn ofergoelus. Roedd arnynt ofn pethau dieithr.

Roedd nifer yn credu mai ysbrydion drwg oedd yn gyfrifol am farwolaethau sydyn neu gnydau'n methu. Yn ychwanegol at weddïau, byddai'r bobl yn defnyddio swynion a swyndlysau i gadw'r ysbrydion drwg draw. Petai'r rhain i gyd yn methu byddent yn chwilio am rywun i'w feio am eu hanffawd. Roedd gwrachod yn darged poblogaidd i'w casáu a'u herlid. Gan amlaf, hen wragedd tlawd ac unig oedden nhw. Eu hunig drosedd oedd edrych neu ymddwyn yn wahanol i bawb arall.

Yn 1542 cyflwynodd y Senedd y ddeddf gyntaf o nifer yn erbyn gwrachod. Yn 1645 penodwyd Matthew Hopkins yn Geisiwr Gwrachod Cyffredinol (*Witchfinder-General*). Mewn dwy flynedd lladdwyd mwy na 200 o bobl am ddewiniaeth; llosgwyd nifer ohonyn nhw'n fyw. Ymunodd yr Eglwys yn yr erledigaeth. Honnai fod menywod yn fwy tebygol o fod yn wrachod am 'fod pob drygioni yn deillio o Efa yng ngardd Eden'.

Rhwng 1500 a 1730 lladdwyd mwy na 100,000 ar draws Ewrop. Cynhaliwyd yr achos olaf am ddewiniaeth ym Mhrydain yn 1722. Yn 1736 newidiodd y Senedd y ddeddf fel na fyddai dewiniaeth yn drosedd mwyach.

Roedd agweddau'n newid. Roedd dynion yn troi at wyddoniaeth. Cynhelid arbrofion i brofi bod eu syniadau'n gywir. Darganfu Galileo (1564-1642), seryddwr o'r Eidal, fod y ddaear yn symud o gwmpas yr haul. Yn 1628 profodd Sais, Syr William Harvey

D Gwnaeth syniadau Harvey gymaint o argraff ar Siarl I fel y gwahoddodd ef i'r Llys i'w hegluro. Dyma ddehongliad arlunydd o'r bedwaredd ganrif ar bymtheg o'r olygfa

(1578-1657) fod y galon yn pwmpio gwaed o gwmpas y corff. Dyma ddarganfyddiad meddygol pwysicaf y ganrif.

Eto roedd yna rai a wrthodai dderbyn y syniadau newydd hyn. Yr Eglwys oedd gelyn pennaf gwyddoniaeth. Ofnai y byddai gwyddonwyr yn cwestiynu bodolaeth Duw. Carcharwyd Galileo gan y Pab am saith mlynedd am ei syniadau. Cyhuddwyd Harvey o heresi am iddo geisio gwrthbrofi bodolaeth dewiniaeth.

Ni allai dim, fodd bynnag, atal cynnydd gwyddoniaeth. Yn 1662 cytunodd Siarl II i sefydlu'r Gymdeithas Frenhinol er mwyn helpu gwyddonwyr i gyfarfod a rhannu syniadau. Daeth mathemategwyr fel William Jones o Lanfihangel Tre'r Beirdd ym Môn a seryddwyr fel Edmwnd Halley yn aelodau. Dau o aelodau enwocaf y Gymdeithas oedd Robert Boyle (1627-91) a Syr Isaac Newton (1642-1727). Syniadau Boyle osododd sylfeini cemeg fodern. Llyfrau Newton, *Principia Mathematica* yn arbennig, fu'n gyfrifol am ffiseg, mathemateg a seryddiaeth modern. Yn 1687 gwnaeth Newton, ar sail ei arbrofion, ei ddarganfyddiad mwyaf: disgyrchiant.

Erbyn y 18fed ganrif, daeth arbrofion i ddisodli dyfalu mewn gwyddoniaeth a meddygaeth. Gyda dyfeisiadau newydd fel y telesgop yn 1660 a'r microsgop yn 1655 gallai gwyddonwyr wneud casgliadau mwy cywir.

F Telesgop o'r ddeunawfed ganrif

Rhoddodd Mr Hooke … ddarlith hynod [ddiddorol] am y gomed ddiweddar, … gan brofi mai hon oedd yr un gomed a ymddangosodd cyn hynny, yn 1618, ac y bydd yn debygol o ddod eto ymhen amser - syniad newydd yn wir. Roedd y [ddarlith] a'r arbrofion yn nodedig iawn … ond dydw i ddim yn ddigon peniog i'w deall.

E Detholiad o Ddyddiadur Samuel Pepys (1665). Ysgrifennydd y Morlys oedd Pepys

G Trwy ddefnyddio microsgop tebyg i'r un uchod, gallai Robert Hooke edrych yn fanwl ar y chwannen. Tynnodd lun ohoni yn 1665

1 **Darllenwch y testun a'r ffynonellau ac yna atebwch y cwestiynau canlynol yn fanwl.**
   a) Rhowch ddau reswm pam y credai pobl mewn dewiniaeth.
   b) O ba gyfnod ac o ba le y daeth y syniad bod gwrachod yn mynd ar gefn ysgub?
   c) Disgrifiwch feddyginiaethau'r 16eg ganrif ar gyfer y gwahanglwyf, y ddannoedd a ffitiau. Oedden nhw'n debygol o weithio?

2 **Pa ddarganfyddiadau wnaeth y canlynol:**
   a) Galileo; b) Harvey; c) Newton?
   d) Oedd brenhinoedd y Stiwartiaid o blaid neu yn erbyn y syniadau newydd mewn gwyddoniaeth? Rhowch resymau.
   e) Chwiliwch am enwau'r ddau Gymro yn y testun a rhestrwch hwy. Eglurwch sut yr aethoch ati i'w dewis.

3 **Darllenwch ffynhonnell E.**
   a) Beth yw enw'r gomed hon? (Awgrym: mae iddi'r un enw â'r gwyddonydd yn y testun).
   b) Pam, yn eich barn chi, y cafodd ei henwi ar ôl y gwyddonydd hwn yn hytrach na Robert Hooke?

4 **Eglurwch pam ydych chi'n credu bod yr Eglwys:**
   a) yn dysgu pobl bod dewiniaid a drygioni yn bod;
   b) yn gwrthwynebu'r syniadau gwyddonol newydd?

19 Athrawon a gweinidogion

Yng Nghymru yn oes y Tuduriaid ychydig iawn o blant fyddai'n mynd i'r ysgol. Roedd llai na 20 ysgol ar draws y wlad a dim ond pobl fel masnachwyr a meistri tir cefnog allai fforddio anfon eu plant yno. Ysgolion gramadeg oedd eu henw am eu bod yn dysgu gramadeg Lladin a Groeg yno. Câi'r disgyblion eu curo pe baent yn siarad yn Saesneg neu'n Gymraeg.

Credai'r Piwritaniaid na ddylai'r ysgolion gramadeg fod ar gyfer y cyfoethog yn unig. Roeddent am ddysgu pob plentyn i ddarllen y Beibl. Rhwng 1650 a 1653 sefydlwyd mwy na 70 o ysgolion rhad yn nhrefi Cymru. Ychydig o lwyddiant a gafodd yr ysgolion hyn am mai yn Saesneg y byddent yn dysgu'r plant i ddarllen. Cymraeg yn unig allai'r rhan fwyaf o blant Cymru o'r dosbarthiadau isaf ei siarad.

Yn 1670 sefydlodd Thomas Gouge yr Ymddiriedolaeth Gymreig. Agorwyd bron i 300 o ysgolion rhwng 1670 a 1681. Credai y dylid dysgu plant i ysgrifennu yn ogystal â darllen. Honnai Gouge fod bron 1,500 o bobl mewn 51 o drefi yng Nghymru wedi'u dysgu i ddarllen y Beibl Saesneg yn y ddwy flynedd gyntaf.

Gweithiodd y Piwritaniaid a'r Ymddiriedolaeth yn galed i roi addysg i blant Cymru, ond methu wnaethon nhw. Doedden nhw ddim wedi sylweddoli pa mor bwysig oedd yr iaith Gymraeg i'r bobl.

A Llyfr corn a gâi ei ddefnyddio i ddysgu darllen; mae'n dyddio o ddechrau'r ail ganrif ar bymtheg

B Tudalen o lyfr ysgrifennu Thomas Jones (1683). Câi ei ddefnyddio i ddysgu ysgrifennu

C Darlun o Griffith Jones yn ddyn ifanc

Penderfynodd y Gymdeithas er Hyrwyddo Gwybodaeth Gristnogol ganiatáu i'w hathrawon ddysgu'n Gymraeg mewn rhai ysgolion. Credai'r Gymdeithas y dylid dysgu plant i ddarllen, ysgrifennu a rhifo. Roedd rhai o'r plant tlotaf hyd yn oed yn cael bwyd a dillad gan yr athrawon. Rhwng 1699 a 1717 rhoddodd y Gymdeithas 10,000 o Feiblau Cymraeg i'w disgyblion yn eu hysgolion elusennol - 180 ohonynt. Daeth y Gymdeithas i ben oherwydd prinder athrawon da a gwrthdaro ymysg yr arweinwyr.

Un o athrawon mwyaf llwyddiannus y Gymdeithas oedd Griffith Jones. Bu'n athro mewn ysgol elusennol yn Lacharn cyn mynd yn ficer yn Llanddowror ger Caerfyrddin. Credai y dylid dysgu oedolion yn ogystal â phlant i ddarllen y Beibl yn Gymraeg. Gyda help rhai o'i gyfeillion cefnog, penderfynodd Jones agor ysgolion mewn rhannau eraill o Gymru.

Rhoddodd hyfforddiant i'w athrawon a threfnu iddynt fynd i ymweld â threfi a phentrefi Cymru. Roedd eu cyflog rhwng £3 a £4 y flwyddyn. Arhosai'r athrawon am ryw dri mis ym mhob man cyn symud ymlaen. Câi'r ysgolion eu cynnal mewn eglwysi, ysguboriau neu unrhyw adeilad arall a oedd ar gael. Am eu bod yn symudol câi'r ysgolion eu galw'n ysgolion cylchynol. Roeddent yn rhad ac yn hawdd eu rhedeg.

Dibynnai Griffith Jones ar gefnogaeth ac elusen tirfeddianwyr cefnog megis Syr John Phillips o Gastell Picton a'r Feistres Bridget Bevan o Lacharn. Er gwybodaeth, cyhoeddai adroddiad blynyddol yn dwyn y teitl *Welch Piety*. Yn ôl yr adroddiadau hyn llwyddodd 3,500 o ysgolion cylchynol i addysgu bron 160,000 o bobl rhwng 1736 a 1761. Camp aruthrol.

Aeth y sôn am ei lwyddiant ymhell. Yn fuan, gwelwyd yr un math o ysgolion mewn gwledydd eraill. Ar ôl i Griffith Jones farw yn 1761 gweithiodd y Feistres Bevan i sicrhau parhad yr ysgolion. Pan fu hi farw yn 1779, roedd hanner poblogaeth Cymru'n gallu darllen.

Yn ail hanner y ddeunawfed ganrif, Cymru oedd un o'r ychydig wledydd yn y byd lle gallai'r rhan fwyaf o'r bobl ddarllen.

John Simkin: *Wales in Industrial Britain* (1993) - gwerslyfr

Mae sefydlu ysgolion elusennol Saesneg yng Nghymru yr un mor ddwl â sefydlu ysgolion elusennol Ffrangeg yn Lloegr.

E   Griffith Jones: *Welch Piety* (1738)

Ni ddylid dysgu'r tlodion na neb arall i ysgrifennu … nid yw yn fwriad gan yr elusen hon … i'w troi'n wŷr bonheddig, ond yn hytrach yn Gristnogion.

Griffith Jones: *Welch Piety* (1749)

---

1 Atebwch y cwestiynau hyn mewn brawddegau:
   a) Cyfrifwch gyfanswm yr ysgolion a sefydlwyd yng Nghymru rhwng 1550 a 1717.
   b) Faint o ysgolion a sefydlwyd gan Griffith Jones yng Nghymru rhwng 1736 a 1761?

2 Edrychwch ar ffynonellau A a B.
   a) Rhowch ddau reswm pam y câi llyfr corn (ffynhonnell A) ei ddefnyddio yn ysgolion y Gymdeithas er Hyrwyddo Gwybodaeth Gristnogol.
   b) A fyddai Griffith Jones wedi defnyddio'r llyfr ysgrifennu a ddangosir yn ffynhonnell B yn

ei ysgolion? Rhowch resymau am eich ateb.

3 Darllenwch ffynonellau D, E ac F.
   a) Pa wybodaeth ar dudalenau 72-3 sy'n cefnogi ffynhonnell D? Copïwch y brawddegau.
   b) Eglurwch ystyr datganiad Griffith Jones yn ffynhonnell E.

4 Ysgrifennwch baragraff yn disgrifio'r prif debygrwydd a'r prif wahaniaethau rhwng eich ysgol chi a'r ysgolion y sonnir amdanynt yma.

Gofynnwch i mi a welais Mr Jones?
Do, bendith yr Arglwydd, fe'i gwelais
ef, yr hwn a'm cysura. Hen filwr ym
myddin Iesu Grist ydyw. O boed i mi ei
ddilyn fel y dilynodd efe yr Iesu.

A Dylanwadodd Griffith Jones ar rai
o arweinwyr y Methodistiaid yn
Lloegr megis George Whitefield a
John Wesley, a ysgrifennodd hyn
yn 1739

Ar brydiau, llwyddent i ennyn pob math
o frwdfrydedd gwyllt … Llament fel
hyddod, gan guro'u dwylo, crynu a
llesmeirio, canu a gweiddi, a gorfoleddu
mewn meddwdod ysbrydol. Yn ôl George
Whitefield … 'Am 7 o'r gloch y bore y
gwelais efallai ddeng mil, ar ganol
pregeth, yn gweiddi Gogoniant! ac yn
neidio o lawenydd.'

B Geraint Jenkins, hanesydd
diweddar, yn disgrifio cyfarfod
nodweddiadol o'r Methodistiaid
yn *Hanes Cymru yn y Cyfnod*
Modern Cynnar 1530-1760
(1983)

SOME

ACCOUNT

OF THE

WELCH Charity-Schools;

And of the

RISE and PROGRESS

OF

METHODISM in *WALES*,

Through the Means of Them, under the
fole Management and Direction of *Griffith*
Jones, Clerk, Rector of *Llandowror* in
Carmarthenſhire; in a ſhort HISTORY of the
LIFE of that *Clergyman*, as a *Clergyman*.

C Tudalen deitl llyfr John Evans
Some Account of the Welsh
Charity Schools (1752)

Y Methodistiaid yn diwygio crefydd

Er bod ficeriaid Anglicanaidd y ddeunawfed ganrif yr un mor bwysig ac uchel eu parch â'r offeiriaid Pabyddol ar ddechrau'r unfed ganrif ar bymtheg, roedd ganddynt broblemau. Roedd y bobl wedi dechrau diflasu ar yr Eglwys. Doedd llawer o'r clerigwyr ddim yn medru cynnig profiadau crefyddol cyffrous a gwerthfawr i'r bobl. Roedd llawer o'r Esgobion yn ddiog ac yn llygredig. Roedd llawer o'r offeiriad plwy' yn dlawd, ac eraill yn annysgedig. Yng Nghymru roedd y problemau'n fwy fyth.

I wneud drwg yn waeth, roedd Saeson di-Gymraeg yn cael eu penodi gan yr Eglwys i blwyfi yng Nghymru. Yn 1766 cafodd Dr Thomas Bowles, ac yntau'n 70 mlwydd oed, ei benodi i blwyfi Trefdraeth a Llangwyfan ym Môn. O blith ei 500 o blwyfolion dim ond 5 a allai siarad Saesneg a deall ei bregethau. Ceisiodd y bobl gael gwared ag ef, a hyd yn oed ddwyn achos llys yn ei erbyn, ond methu wnaethon nhw.

Roedd rhai o'r clerigwyr Anglicanaidd yn poeni am gyflwr truenus yr Eglwys. Ofnent y byddai dirywiad yn y ffydd Gristnogol. Griffith Jones oedd un o'r cyntaf i fwrw ati i adfywio crefydd. Ei fwriad oedd mynd yn genhadwr i India ond ar ôl gweld pa mor anwybodus oedd ei bobl ei hun am grefydd fe benderfynodd aros yng Nghymru. Ei gyfraniad mawr oedd cyflwyno gair Duw i'r bobl drwy eu dysgu i ddarllen y Beibl yn Gymraeg.

Roedd Griffith Jones hefyd yn bregethwr da. Dylanwadodd ar y rheini a'i clywodd i barhau â'i waith. Daeth dynion megis Daniel

D Roedd y Cymro Erasmus Saunders yn ficer ystyriol a siaradai yn erbyn llygredigaeth yn yr Eglwys. Dyma ddetholiad o'i adroddiad: A *View of the State of Religion in the Diocese of St David's* (1721)

Does yna'r un garfan arall o'r genedl sy'n fwy parod i fod yn grefyddol ac i gael boddhad ohono na thrigolion tlawd y mynyddoedd hyn … dydy athrawiaethau [syniadau] y Diwygiad a ddechreuodd tua dau gan mlynedd yn ôl yn Lloegr ddim wedi'n cyrraedd ni fan hyn eto … mae cyflwr truenus yr Eglwys yn cael ei achosi gan y pedwar prif ddrwg sef amlblwyfaeth, … absenoledd, … anhrigaeth, … [a] neiedd.

Y mae'n amlwg hefyd nad oedd cyflwr yr Eglwys mor druenus ag y mynnai Erasmus Saunders … Rhaid cofio mai gŵr piwis a siomedig oedd Saunders. Methodd â chyrraedd cadair esgob, a bu'r siom honno'n lliwio'i farn wrth baratoi'r gyfrol. Yr oedd esgobaethau Tyddewi a Llandaf yn druenus o dlawd … Yr oedd y sefyllfa'n fwy gobeithiol yn y Gogledd …

E Geraint Jenkins: *Hanes Cymru yn y Cyfnod Modern Cynnar 1530-1760* (1983)

Rowland o Langeitho, Howell Harris o Drefeca a William Williams, Pantycelyn yn enwog fel pregethwyr. Credent fod Duw wedi'u galw i achub eneidiau'r bobl. Nhw oedd y **Methodistiaid.**

Teithient o gwmpas Cymru yn pregethu ac yn dysgu. Roedden nhw'n siaradwyr ifanc a grymus, brwdfrydig dros eu ffydd. Oherwydd y cannoedd a fyddai'n aml yn dod i wrando ar Rowland a Harris yn pregethu, byddent yn cynnal eu cyfarfodydd yn yr awyr agored. Byddai eu cyfarfodydd hyd yn oed yn fwy cyffrous yn sŵn yr emynau a gyfansoddwyd gan Williams. Mae llawer ohonyn nhw'n dal i fod yn ffefrynnau mewn capeli ac eglwysi heddiw.

Doedd pawb ddim yn hoff o'r Methodistiaid. Roedd rhai clerigwyr yn gwrthod gadael iddynt bregethu yn eu plwyfi. Roedd rhai tirfeddianwyr yn eu hamau o annog chwyldro a byddent yn torri ar draws eu cyfarfodydd. Ond ni allai neb eu hanwybyddu na'u hatal.

F Arweinwyr y Methodistiaid yng Nghymru (heb ddyddiadau)

DANIEL ROWLAND
HOWELL DAVIES
HOWELL HARRIS
PETER WILLIAMS
WILLIAM WILLIAMS

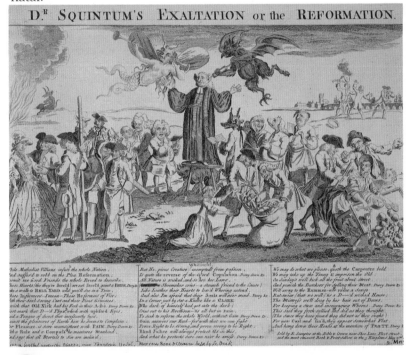

G Cartŵn o 1763 yn dangos pregethwyr y Methodistiaid yn ddynion barus a'u cynulleidfaoedd yn afreolus

Gwlad wedi'i choncro yw Cymru; priodol yw cyflwyno'r iaith Saesneg, a dyletswydd yr esgobion yw hyrwyddo'r iaith … Saesneg.

H Datganiad a wnaed gan gyfreithiwr Bowles yn y llys

1 Darllenwch ffynhonnell D a'r testun ar dudalen 74.
  a) Beth oedd o'i le ar yr Eglwys a chrefydd yn Lloegr ar ddechrau'r ddeunawfed ganrif? Rhestrwch y problemau.
  b) Yn ôl Erasmus Saunders (ffynhonnell D), roedd gan yr Eglwys a chrefydd yng Nghymru broblemau eraill. Beth oeddent?
  c) Pa mor ddibynadwy yw tystiolaeth Erasmus Saunders? Eglurwch eich ateb.
  d) Darllenwch ffynhonnell E. Ydy hyn wedi newid eich meddwl am werth tystiolaeth Erasmus Saunders? Eglurwch eich ateb.

2 a) Edrychwch ar y cartŵn (ffynhonnell G), a'i ddisgrifio. Pa mor ddefnyddiol yw'r ffynhonnell hon i hanesydd sy'n ysgrifennu llyfr ar y Methodistiaid yng Nghymru?
  b) Erbyn diwedd y 18fed ganrif, Methodistiaeth oedd y mudiad crefyddol mwyaf yng Nghymru. Ydy hyn yr un mor wir heddiw? Gwnewch arolwg o blant eich dosbarth. Rhestrwch y gwahanol grwpiau crefyddol - y mwyaf gyntaf.

Y deyrnas yn unedig

Creu'r Deyrnas Unedig

YR ALBAN

Caeredin

Deddf Uno 1707

IWERDDON
Dulyn

Deddf Uno 1801

Llwdlo

CYMRU

Deddf Uno 1536-43

LLOEGR

Llundain

B Llun o'r ddeunawfed ganrif yn dangos ymosodiad creulon Oliver Cromwell ar dref Drogheda, Iwerddon, yn 1649. Lladdwyd gwŷr, gwragedd a phlant am i'r Gwyddelod gefnogi'r brenin yn ystod y Rhyfel Cartref

Mae gan bobl Iwerddon, yr Alban a Chymru lawer yn gyffredin rhyngddynt. Celtiaid ydyn nhw sy'n perthyn i'w gilydd trwy waed, diwylliant a hanes. Maen nhw'n siarad ieithoedd Celtaidd sef y Gymraeg a Gaeleg. Ar un adeg hefyd, roeddent yn casáu'r Saeson.

Y rheswm am hyn oedd bod Lloegr wedi ceisio gorfodi'r gwledydd Celtaidd hyn i ymostwng iddi. Ymosododd y Brenin Harri II ar Iwerddon yn 1169. Cafodd Cymru ei choncro gan Edward I yn 1283. O ganlyniad i hyn felly, yn 1485, cafodd Harri Tudur ei goroni'n Frenin Lloegr, Tywysog Cymru ac Arglwydd Iwerddon.

Yr Alban yn unig gadwodd ei hannibyniaeth. Pan fu farw Elisabeth I yn 1603 ei chefnder a ddaeth i'r orsedd yn ei lle, y Brenin Iago VI o'r Alban. Iago oedd y brenin cyntaf i reoli dros deyrnas unedig. Eto, doedd y deyrnas ddim yn hollol unedig. Er bod y Cymry yn ymddangos yn hapus i dderbyn eu huno â Lloegr, doedd llawer o'r Alban ac Iwerddon ddim mor barod.

Iwerddon

Wnaeth y Gwyddelod erioed dderbyn newidiadau Harri VIII o fewn yr Eglwys. Tra aeth Lloegr a Chymru yn wledydd Protestannaidd, aros yn wlad Babyddol wnaeth Iwerddon. Roedd Lloegr yn gofidio am hyn. Gwyddent y byddai gwledydd Pabyddol Ewrop yn ceisio ymosod ar y deyrnas drwy Iwerddon. Roedden nhw'n iawn. Yn yr unfed ganrif ar bymtheg ceisiodd Sbaen ymosod arni ac yna gwnaeth Ffrainc ymgais yn y ddeunawfed ganrif.

Câi'r Gwyddelod eu cyfrif yn bobl wrthryfelgar. Digwyddodd y gwrthryfel mwyaf difrifol yn 1689 pan laniodd Iago II yn Iwerddon i geisio adennill ei orsedd. Cafodd gefnogaeth Senedd Iwerddon.

Cymerodd ddwy flynedd a byddin gref Lloegr o dan arweiniad Gwilym III i roi terfyn ar y gwrthryfel. Erbyn 1750 roedd bron 90 y cant o dir Iwerddon yn eiddo i **ymsefydlwyr** Protestannaidd o Loegr. Er nad oedden nhw'n ddim ond 20 y cant o'r boblogaeth, roedden nhw'n bwerus iawn. Gobaith brenhinoedd Lloegr, a'u hanfonodd nhw yno, oedd y byddent yn cadw rheolaeth ar y Gwyddelod. Methu wnaethon nhw. Roedd y gwladychwyr newydd a'r brodorion yn casáu ei gilydd.

Yr Alban

Ni chafodd yr Alban erioed ei choncro gan y Saeson. Roedd ganddi ei Horsedd a'i Senedd ei hun. Tan 1603! Yn wahanol i'r Gwyddelod, roedd yr Albanwyr yn ymddangos ar y dechrau yn hapus i uno â Lloegr. Brenin Iago yr Alban ddaeth yn frenin Lloegr. Gydag amser, fodd bynnag, treuliai'r Stiwartiaid fwy o'u hamser yn Llundain gan anwybyddu'r Alban.

At hynny, aeth Senedd Lloegr i gredu ei bod yn bwysicach na Senedd yr Alban. Yn aml, ni thrafferthai ofyn i'r Albanwyr am eu barn ar faterion pwysig fel pwy ddylai reoli yn dilyn marwolaeth y Frenhines Anne a hithau heb blant. Roedd y Saeson am ofyn i gefnder pell reoli yn ei lle. Gan ei fod yn Almaenwr o **Hannover,** doedd yr Albanwyr ddim yn hapus iawn. Roedd y Saeson yn ofni beth fyddai Senedd yr Alban yn ei wneud felly dyma nhw'n penderfynu uno'r ddwy Senedd. Yn 1707 pleidleisiodd Aelodau Seneddol yr Alban i gau eu Senedd yng Nghaeredin. Roedd y rhan fwyaf wedi cael eu talu i wneud hyn. Cafodd llawer seddau yn y Senedd yn Llundain.

Roedd yr Albanwyr oedd yn anghytuno â'r penderfyniad hwn, y **Jacobyddion**, am i fab Iago II, Iago Edward Stiwart, a'i fab yntau Siarl reoli drostynt yn lle Siôr o'r Almaen. Yn 1715 cafwyd gwrthryfel ond bu'n fethiant. Yn 1745 bu gwrthryfel arall. Gyda Siarl Stiwart, yr Hawliwr Ifanc neu Bonnie Prince Charlie, yn eu harwain, fe'u trechwyd yn ddidostur. Dangosodd ei chwerwder am na chafodd unrhyw gymorth gan Jacobyddion Cymru pan ddywedodd, 'Gwnaf i'm cyfeillion o Gymru yr hyn a wnaethant i mi; dymuno iechyd da iddynt'. Roedd y Deyrnas Unedig wedi'i chreu.

C Darlun o frwydr Culloden yn Ebrill 1746. Lladdwyd Jacobyddion yr Alban (oren) gan fyddin Lloegr (coch) mewn cyflafan fawr

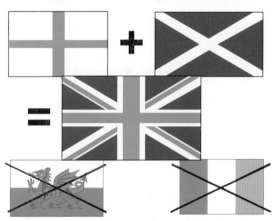

D Creu Baner yr Undeb

1 a) **Ysgrifennwch y dyddiadau hyn ar linell ar wahân yn eich llyfr: 1169 1283 1485 1536 1541 1603 1707 1801 Wrth ymyl pob dyddiad ysgrifennwch beth ddigwyddodd yn hanes uno Prydain yn y flwyddyn honno.**
b) **Pa dri dyddiad a'u digwyddiadau oedd y pwysicaf wrth greu'r Deyrnas Unedig? Eglurwch eich dewis.**
c) **Awgrymwch resymau pam yr oedd y Cymry a'r Albanwyr yn hapusach na'r Gwyddelod i uno â Lloegr.**

2 a) **Pa un o'r tair gwlad y gofynnwyd iddi uno â Lloegr? Eglurwch pam y gwnaeth.**
b) **Pam y gorfodwyd i'r ddwy wlad arall uno â Lloegr?**

3 a) **Edrychwch ar ffynhonnell A. Nodwch enwau prif ddinasoedd / dinasoedd Cymru, Lloegr, yr Alban ac Iwerddon. Eglurwch pam y dylai un enw eich synnu.**
b) **Edrychwch ar fap Iwerddon heddiw. Ym mha ffordd y mae'n wahanol i'r un yn ffynhonnell A?**

Newid a pharhad

Bydded goleuni/Let there be light.
Halen y ddaear/The salt of the earth.
Arwyddion yr amserau/The sign of the times.
Yr ysbryd sydd barod/The spirit is willing.

A Roedd William Tyndale am newid pethau. Credai y dylai pawb yn Lloegr fedru darllen ei Feibl Saesneg, hyd yn oed 'y gwas sy'n gwthio'r aradr'. Mae'r Gymraeg a'r Saesneg yn llawn ymadroddion a grëwyd yn gyntaf oll gan Morgan a Tyndale

B Mae'r ffotograff hwn o'r 19eg ganrif yn dangos mai ychydig o newid a fu yn amodau byw gweision fferm yng Nghymru ers 200 mlynedd

Mae ein hoes ni heddiw yn gyfnod o newid mawr. Dywedwyd bod mwy wedi newid yn ystod y 95 mlynedd diwethaf nag yn y 500 mlynedd cyn hynny. Pam? Mae datblygiadau ym meysydd gwyddoniaeth, technoleg a meddygaeth wedi effeithio ar ein bywyd a'i newid yn gyfan gwbl. Bu chwyldro yn y dulliau o gyfathrebu a theithio. Mae bywyd ei hun wedi cyflymu.

Eto, er gwaethaf hyn, hyd yn oed yn yr ugeinfed ganrif, mae rhai pethau wedi aros yr un fath. Mae hyn yn wir am bob oes. Er bod newid ym mhob oes nid oedd mor drawiadol yn y byd modern cynnar ag yw heddiw. Neu a ydoedd?

Crefydd

Er bod pobl yn dal i gredu yn Nuw ac yn dal i fynd i'r eglwys, roedd newidiadau mawr ar droed ym myd crefydd a effeithiodd ar bron pawb. Newidiodd crefydd swyddogol y wlad o fod yn Babyddol yn 1500 i fod yn Brotestannaidd erbyn 1600. Fodd bynnag, gwelwyd newidiadau mwy cymhleth fyth yn dilyn hyn. Erbyn 1760 roedd y ffydd Brotestannaidd wedi'i rhannu'n grwpiau crefyddol gwahanol. Cafodd yr Eglwys Anglicanaidd ei herio gan y Bedyddwyr, yr Annibynwyr a'r Methodistiaid.

Llywodraeth

Bu newid hefyd yn y modd y câi'r wlad ei rheoli. Yn 1500 credai'r brenin fod ganddo 'ddwyfol hawl' i reoli. Mae'n bosib bod y brenin yn 1760 yn dal i gredu hyn, ond roedd yn rhaid iddo bellach rannu ei bŵer â'r Senedd. Yn ystod yr ail ganrif ar bymtheg dechreuodd Aelodau Seneddol gwestiynu a herio pŵer y frenhiniaeth. Erbyn y ddeunawfed ganrif doedd y bobl ddim yn barod i ufuddhau mwyach, oni bai eu bod yn dlawd!

C Dau ddarn arian o'r ail ganrif ar bymtheg

Yr Economi

Doedd rhai pethau ddim wedi newid. Roedd y cyfoethog yn dal i fod yn gyfoethog ac roedd y tlodion yn dal i fod yn ddiflas. Yng Nghymru, gallai'r meistri tir mwyaf megis Syr John Perrot ddisgwyl cael incwm blynyddol o fwy na £1,500. Ar gyfartaledd, rhyw £2 y flwyddyn a gâi gwas fferm yng Nghymru i fyw arno. Roedd yn rhaid i'r tlodion fyw ar gryn dipyn yn llai. Roedd arolwg a wnaed yn 1696 gan Gregory King yn awgrymu nad oedd tua 60 y cant o'r boblogaeth yn ennill digon i fwydo eu teuluoedd yn ddigonol.

Cymdeithas

Prin y byddai neb wedi sylwi ar rai newidiadau. Roedd poblogaeth Cymru a Lloegr wedi dyblu yn ei maint o ryw 3 miliwn yn 1550 i ychydig dros 6 miliwn yn 1760. Roedd llythrennedd (y gallu i ddarllen ac ysgrifennu) yn gwella.

Roedd hyn yn arbennig o wir am Gymru lle roedd nifer cynyddol o bobl yn dysgu darllen yn ysgolion Griffith Jones. Roedden nhw'n ffodus i gael llyfrau yn Gymraeg. Credai rhai dynion fel William Salesbury fod yr iaith Gymraeg ar fin marw. Daeth cyfieithiad William Morgan o'r Beibl i newid hynny i gyd, fodd bynnag. Er nad dyna oedd ei fwriad, achubodd Beibl William Morgan yr iaith.

Teyrnas Unedig

Yn olaf, un o'r newidiadau pwysicaf a ddigwyddodd yn y cyfnod hwn oedd creu'r Deyrnas Unedig. Er bod gan y Cymry, yr Albanwyr, y Gwyddelod a'r Saeson eu hunaniaeth, eu diwylliant a'u harferion eu hunain, roedden nhw'n symud yn nes at fod yn Brydeinwyr.

D

E

F

Tri darlun cyfoes o grwpiau teuluol o gyfnod y Tuduriaid, y Stiwartiaid a'r Hannoveriaid.

---

1 Edrychwch ar ffynhonnell C.
   a) Disgrifiwch y gwahaniaethau rhyngddynt.
   b) Pa ddarn arian a fathwyd gan y Brenin Siarl a pha un a fathwyd gan Oliver Cromwell? Eglurwch sut y gwnaethoch eich penderfyniad.

2 a) Parwch y peintiadau (Ffynonellau D, E ac F) â'r cyfnodau a'r dyddiadau (y Tuduriaid, 1567; y Stiwartiaid, 1645 a'r Hannoveriaid, 1744) y credwch yr oedd y teuluoedd hyn yn byw ynddynt. Eglurwch sut y penderfynoch.
   b) Disgrifiwch y newidiadau mewn ffasiwn rhwng 1567 a 1744.

3 Gwnewch restr o'r canlynol:
   a) y newidiadau y soniwyd amdanynt yma,
   b) y pethau a arhosodd yr un fath.

4 Ysgrifennwch draethawd yn disgrifio'r hyn oedd yn wahanol yng Nghymru yn 1500 ac yn 1760.

Geirfa

Anghydffurfwyr rhai sy'n gwrthod ufuddhau i rai rheolau

alltud rhywun sy'n cael ei anfon i ffwrdd (weithiau i wlad arall)

amlblwyfaeth offeiriad â mwy nag un plwyf ar yr un pryd

ap mab

bonedd dosbarth o dirfeddianwyr cyfoethog ychydig is na'r pendefigion

bradwr rhywun sy'n anffyddlon i'w wlad

bwrdeiswyr pobl sy'n byw mewn tref

crwydraeth crwydro o gwmpas y wlad yn chwilio am fwyd neu waith

cyfoes rhywbeth neu rywun o'r un cyfnod

cymanwlad grŵp o wledydd oedd yn rhan o ymerodraeth

Chwigiaid plaid wleidyddol a sefydlwyd ddiwedd y 17eg ganrif i wrthwynebu'r Stiwartiaid - a chefnogi'r Hannoveriaid yn ddiweddarach

chwyldro newid mawr - a threisgar, weithiau

deiliaid pobl sy'n byw dan reolaeth arglwydd neu frenin

democratiaeth rhyddid i bleidleisio mewn etholiad

dienyddio lladd rhywun fel cosb gyfreithiol

diweirdeb y cyflwr o fod yn bur

diwygiad newid rhywbeth, yn arbennig mewn crefydd

diwylliant arferion, iaith, cerddoriaeth, barddoniaeth a llenyddiaeth gwlad

Dwyfol Hawl y brenin neu'r frenhines yn rheoli drwy hawl gan Dduw

economi prynu a gwerthu

elusendai tai lle mae pobl dlawd yn byw, wedi eu cynnal gan elusen

erlid dinistrio'r rhai sydd ddim yn cydymffurfio

etifedd rhywun sy'n etifeddu yn dilyn marwolaeth rhiant neu berthynas

gweriniaeth llywodraethu neu reoli gwlad heb frenin neu frenhines

gwrthdystiad cwyn ddifrifol

gwrthryfela y bobl yn ymladd yn erbyn y brenin neu'r llywodraeth

Hannoveriaid teulu brenhinol Prydain (o Hannover, yr Almaen) a reolai rhwng 1714 ac 1837

heresi pechu yn erbyn yr Eglwys

heretic rhywun sy'n credu'n wahanol i'r hyn mae'r Eglwys yn ei ddysgu

hurfilwyr rhai sy'n mynd i ymladd am arian

Interregnum y cyfnod pan oedd y Piwritaniaid yn rheoli

Jacobyddion cefnogwyr Iago Stiwart a'i fab 'Bonnie Prince Charlie'

llinach y llinyn sy'n cysylltu mwy nag un cenhedlaeth mewn teulu

Llys Chwarter llysoedd lleol y mae Ynadon Heddwch yn eu cynnal

masnach prynu a gwerthu nwyddau

Methodistiaeth math o grefydd a ddaeth yn boblogaidd yn y 18fed ganrif

miwtini gwrthryfel gan longwyr neu filwyr

mordwyo cynllunio taith (e.e. llong) ar fap

neiedd rhoi swydd i aelod o'r teulu

newyn y cnydau'n methu a phobl yn llwgu

noddwr un sy'n cefnogi rhywun arall ag arian neu drwy ei ddylanwad

Piwritaniaid Protestaniaid cadarn a oedd am symleiddio dulliau addoli

prentisiaeth cyfnod o ddysgu crefft

proffwydoliaeth gweledigaeth o'r dyfodol

propaganda gwybodaeth a ledaenir i berswadio pobl i gredu yn rhywbeth

Protestant rhywun oedd yn protestio yn erbyn yr Eglwys Babyddol a'r Pab

rhyfel cartref rhyfel rhwng dau grŵp o bobl yn yr un wlad

siryf rhywun wedi ei benodi i gadw cyfraith a threfn

Stiwartiaid teulu brenhinol Prydain (o'r Alban) a reolai rhwng 1603 ac 1714

Torïaid plaid wleidyddol a sefydlwyd ddiwedd y 17eg ganrif i gefnogi'r Stiwartiaid - a gwrthwynebu'r Hannoveriaid yn ddiweddarach

trefol rhywun neu rywbeth sy'n perthyn i dref

trawsgript copi manwl o ddogfen wreiddiol

trwydded darn o bapur sy'n rhoi caniatâd i rywun wneud rhywbeth e.e. cardota neu werthu

Tuduriaid teulu brenhinol Prydain (o Gymru) a reolai rhwng 1485 ac 1603

urdd undeb sy'n amddiffyn hawliau a medrau crefftwyr

ymerodraeth un wlad yn rheoli llawer o diroedd

ymsefydlwyr pobl sy'n gadael y wlad a mynd i fyw mewn gwlad arall

ynad heddwch swyddog a benodwyd gan y llywodraeth i gadw cyfraith a threfn a chynnal llysoedd am fân droseddau

ysgrythurau llyfrau ac ysgrifau crefyddol

ysgymuno taflu rhywun o'r Eglwys a gwrthod mynediad iddo i'r Nefoedd, pan fydd yn marw

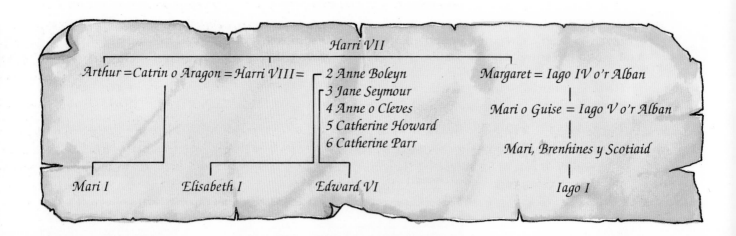